Comme un livre ce 2

Renée Léon
Agrégée de lettres modernes

Lydia Susanna d'Ambra
Professeur des écoles

hachette
ÉDUCATION

Maquette et réalisation de l'intérieur : Rampazzo & Associés
Couverture : Polymago
Suivi éditorial : Sylvie Régnier
Recherche iconographique : Chantal Hanoteau et Marie-Pierre Rosenberg

Avant-propos

Donner à lire et donner à voir, tel est ici notre projet.

Nous avons résolument voulu un beau livre, un livre où l'on ait envie d'entrer, un livre qui donne aussi l'envie d'aller plus loin.

Les textes, classés par genres (les contes et histoires, le théâtre, les poésies, les documentaires, les romans), explorent tous les domaines de la littérature de jeunesse. L'enfant lit pour rire, pour rêver, pour rencontrer des personnages mythiques et légendaires, pour découvrir le monde, pour réfléchir…

À l'intérieur de chaque genre, les textes sont présentés par ordre de difficulté croissante. Deux cahiers d'exercices accompagnent d'ailleurs cet ouvrage : l'un regroupe les textes faciles (●), l'autre les textes un peu moins faciles (●). Cela nous a semblé important dans la perspective de classes parfois très hétérogènes.

Ce recueil de textes réunit donc :
- des textes faciles et des textes moins faciles ;
- des textes courts et des textes plus longs ;
- des textes récents et d'autres plus classiques ;
- des textes connus et des textes moins connus ;
- des textes drôles et des textes abordant des sujets plus graves…

Mais toujours, nous l'avons souhaité, des textes forts.

Ici, pas de parcours imposé. L'enseignant chemine en fonction de sa classe et des priorités qu'il se donne.

Le questionnaire, volontairement léger, concerne l'essentiel : l'idée centrale, la situation, les personnages, l'information phare… Il tend à susciter des échanges au sein de la classe et à impliquer l'élève dans sa lecture.

Les mots difficiles sont expliqués en marge dans leur contexte.

Les illustrations sont des œuvres d'art : tableaux, gravures anciennes, sculptures, photographies, etc.
Elles n'illustrent pas le texte au sens strict du terme. Elles le prolongent plutôt, dans un autre domaine de la création. Elles donnent des repères, elles affinent le regard, elles nourrissent l'imaginaire.

Les auteurs

Sommaire

● Textes travaillés dans le cahier 1.
● Textes travaillés dans le cahier 2.

● Textes travaillés dans le cahier 1.

● Textes travaillés dans le cahier 2.

Les documentaires   ◀ **106**

Les romans   ◀ **140**

● Textes travaillés dans le cahier 1.
● Textes travaillés dans le cahier 2.

جهد وجهد سلسل مخار بن سا يلنس الحـ في امر فـ

Les contes
et histoires

Le lièvre et l'éléphant

Yves Pinguilly, in *Le lièvre et la soupe au pili-pili*, Rageot Éditeur.

Tous les animaux ont peur de l'éléphant. Mais le lièvre, lui, a décidé que l'éléphant lui obéirait. Un matin, il va le voir pour lui parler.

– Éléphant, je connais un secret que m'a confié mon père juste avant de mourir.

– Un vrai secret ?

– Oui, éléphant, un vrai secret.

– Et c'est quoi, ce secret-là ?

– C'est un secret qui pourrait te permettre d'augmenter encore et encore ta force.

– Lièvre, il faut me confier ce secret. Je suis le plus fort, mais je veux devenir plus fort que fort !

– Éléphant, si je te dis ce secret-là, est-ce que je serai pour toujours ton ami ?

– Lièvre, tu peux me croire. Tu seras toujours mon ami.

Le lièvre fit semblant de réfléchir. Il regarda le ciel et le sol, ferma un œil et les deux yeux puis déclara :

– Éléphant mon ami, je te crois. Écoute, voici le secret : tu connais le fruit du baobab ?

– Le pain de singe ?

– C'est cela, le pain de singe. Écoute. Il y a un baobab dont le pain de singe donne plus de force

un baobab :
un grand arbre d'Afrique.

que n'en possède le tonnerre qui tousse dans le ciel.
– Lièvre, mène-moi tout de suite vers ce baobab-là.
Le lièvre se mit en route, suivi de l'éléphant. Trois
heures plus tard, le lièvre qui regardait à droite et
à gauche, devant et derrière, sans rien voir, dit à
l'éléphant :
– Éléphant, je suis trop petit. Mes yeux sont trop
proches du sol, je ne peux pas retrouver cet arbre.

Peinture sur verre, Sénégal, vers 1960.

repérer :
voir.

un marigot :
en Afrique, rivière, endroit où il y a de l'eau.

coasser :
crier, pour la grenouille ou le crapaud.

cacaber :
crier, pour la perdrix.

Est-ce que je peux monter sur ton dos pour le repérer enfin ?

– Monte vite, petit lièvre, et trouvons ce baobab dont le pain de singe donne tant de force !

Le lièvre monta sur le dos de l'éléphant et s'installa comme un fier cavalier. Le lièvre guida l'éléphant vers le marigot où les animaux attendaient. Tous arrêtèrent ou de voler ou de ramper ou de coasser ou de rugir ou de cacaber… pour constater cette incroyable chose : l'éléphant si grand-gros, si grand-lourd, si grand-fort, obéissait au petit lièvre ! Un peu plus tard, l'éléphant guidé par le lièvre arriva près d'un grand baobab sans aucun fruit.

– Comme c'est dommage, dit le lièvre, quelqu'un a déjà mangé tout le pain de singe. Il ne reste plus rien.

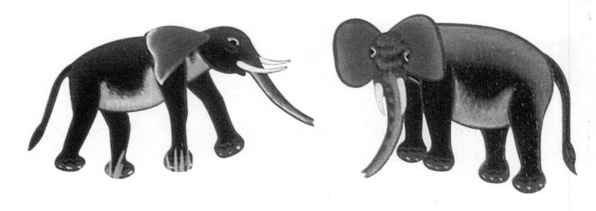

Peinture sur verre, Sénégal.

▼ Ce conte se passe en Afrique. À quoi le vois-tu ?
▼ Que veut le lièvre ?
▼ Comment s'y prend-il pour réussir ce qu'il veut faire ?
▼ Le lièvre est *rusé*. Explique ce mot.

La soupe au caillou

Margret et Rolf Rettich, *40 petits contes*, Centurion Jeunesse.

Il était une fois un soldat qui rentrait chez lui après une guerre perdue. Il était tout en haillons et déguenillé. Il avait encore un long chemin à faire. Il avait mal aux pieds et son estomac criait famine. Lorsqu'il fut trop fatigué pour faire encore un seul pas, il frappa à une porte et une vieille femme avare lui ouvrit. Il lui demanda une assiettée de soupe, et elle lui cria en colère :

– Moi non plus je n'ai rien à manger et je mange des cailloux !

Le soldat renifla et sentit bien qu'elle venait tout juste de se servir quelque chose de bon. Alors il souleva une pierre qui était à côté de la porte et dit :

– Je ne demande rien d'autre qu'une soupe, faite avec ce caillou. Prête-moi une marmite et laisse-moi cuire le caillou dans ta cheminée. Je t'inviterai à partager ma soupe.

La vieille était bien curieuse de goûter cette soupe. Elle permit au soldat de prendre une de ses marmites, de la remplir d'eau, d'y mettre le caillou et de la poser sur le feu.

en haillons, déguenillé :
avec des vêtements très abîmés.

avare :
qui n'aime pas dépenser son argent.

Elle lui prêta même une cuillère en bois. Bientôt l'eau se mit à frémir puis à bouillir et la vapeur emplissait la cuisine. Le soldat regardait de temps en temps dans la marmite, il y trempait la cuillère et goûtait. Finalement il dit :

– Ça va être une soupe délicieuse, mais elle serait encore meilleure avec un peu de sel.

– Si ce n'est que cela, dit la vieille, j'ai bien du sel. Elle fouilla derrière son buffet et en tira le pot à sel. Le soldat jeta une poignée de sel dans la marmite, goûta et dit :

– C'est parfait. Je ne pourrais l'améliorer encore qu'avec un peu d'orge.

l'orge :
une céréale qui ressemble au blé.

– Si ce n'est que cela, dit la vieille, j'ai de l'orge. Et elle apporta aussitôt un gros sac plein. Le soldat en versa une bonne quantité dans la soupe et laissa l'orge gonfler, puis il y trempa la cuillère, il goûta encore et dit :

– Elle ne pourrait être meilleure ! À la rigueur, si nous y mettions du beurre, mais qui donc a encore du beurre par les temps qui courent ?

– Si ce n'est que cela, dit la vieille, j'ai du beurre !

un tonnelet :
un petit tonneau.

Et vite elle alla chercher un petit tonnelet dans sa chambre. Le soldat en mit un gros morceau dans la soupe. Il tourna, goûta une cuillerée et déclara :

– Personne n'a jamais goûté une meilleure soupe ! Il y a bien des gens qui l'amélioreraient avec des œufs, mais peu importe, puisque nous n'en avons pas !

– Si ce n'est que cela, s'écria la vieille, j'ai des œufs !

Et vite elle courut à l'étable et en revint avec une corbeille pleine. Le soldat cassa cinq œufs dans la soupe, tourna vigoureusement, goûta et leva les yeux au ciel :

vigoureusement :
avec beaucoup de force.

LES SECRETS DE POPOTE

Les secrets de Popote, affiche publicitaire, début du XXᵉ siècle.

– C'est exquis ! s'exclama-t-il. Nous pourrions la manger telle qu'elle est. Les fins gourmets disent pourtant qu'elle est meilleure avec de la crème, mais puisque nous n'avons pas de crème…

– Si ce n'est que cela, l'interrompit la vieille, j'ai de la crème. Et aussitôt elle apporta une cruche pleine que le soldat vida dans la soupe jusqu'à la dernière goutte. Puis il dit :

– Maintenant il ne manque plus que le sucre. Je ne dis pas que c'est obligatoire, mais un peu de sucre ferait ressortir le goût.

– Si ce n'est que cela, dit la vieille, j'ai du sucre.

Et elle tira de derrière le poêle une caisse pleine de sucre. Le soldat versa presque tout. Il fit encore bouillir la soupe et goûta une dernière fois :

– C'est prêt, grand-mère, dit-il, fais-moi la joie de partager avec moi cette misérable soupe au caillou.

– Bien volontiers, dit la vieille avare, qui était bien aise d'être l'invitée de quelqu'un.

Et ils se régalèrent tous les deux : la vieille, toute heureuse de se faire offrir la meilleure soupe qu'elle eût jamais goûtée, le soldat, enchanté de déguster un délicieux repas à bon compte.

▼ Pourquoi la vieille femme dit-elle qu'elle n'a rien à manger ?
▼ Quelle est la recette de la soupe au caillou ?
▼ Explique la ruse du soldat.
▼ Quels sont les mots que la vieille femme répète à chaque fois ?
Pourquoi cela est-il drôle ?

Une histoire sans fin

Jaroslav Tichý, *Les Plus Beaux Contes pour rire*, Gründ.

Il était une fois un roi qui avait, à la cour, un conteur. Chaque soir, le conteur devait raconter au roi trois histoires pour l'endormir.

Mais un jour, le roi n'arrivait pas à trouver le sommeil, car il avait eu une journée épuisante au cours de laquelle il avait dû prendre de grandes décisions, et tenir maints discours. Le soir venu, il ordonna à son conteur de lui raconter trois histoires. À la fin de la troisième histoire, le roi ne dormait toujours pas.

maints :
de nombreux.

– Tes histoires étaient trop courtes, dit le roi. Je veux que tu me racontes maintenant une longue histoire, comme tu sais si bien le faire. Elle me fera oublier tous les soucis qui me trottent dans la tête.

Et le conteur commença :

– Il était une fois un marchand qui acheta mille moutons au marché. Alors qu'il voulait franchir la rivière avec ses moutons pour retourner chez lui, il poussa tout à coup un cri de stupeur : les crues avaient emporté le pont ! Le pauvre ne savait plus que faire. Désemparé,

la stupeur :
un grand étonnement.

la crue :
la montée de l'eau.

désemparé :
ne sachant que faire.

M. K. Ciurlionis, Pologne, XXᵉ siècle.

Les contes et histoires ◀

17

il courait de long en large sur la berge et soudain, il trouva une passerelle. Mais cette passerelle était si étroite qu'il ne pouvait y faire passer que trois moutons à la fois. Alors le marchand prit le premier, le deuxième et le troisième mouton et les fit passer de l'autre côté de la rivière, puis il retraversa pour aller chercher les trois moutons suivants. Lorsqu'il eut fait passer le quatrième, le cinquième et le sixième mouton, il revint sur ses pas pour aller chercher le septième, le huitième…

À ce moment le conteur se tut : il s'était endormi. Mais il ne dormit pas longtemps, car le roi le secoua comme un prunier jusqu'à ce qu'il se réveille. Tandis que le conteur, encore tout ensommeillé, se frottait les yeux, le roi bâilla et dit : « Avant de t'endormir, il faut que tu finisses de raconter l'histoire que tu as commencée. Mais dépêche-toi, car je tombe de sommeil ! »

Alors le conteur que le roi venait de réveiller répondit, d'une voix tout ensommeillée : « Excusez-moi, Majesté, mais la rivière est très large, et la passerelle très étroite. Et le troupeau de moutons est énorme. Alors ayez un peu de patience ! Laissons le temps au marchand de faire passer tous ses moutons sur l'autre rive. Quand il aura fait traverser ses mille moutons, je continuerai mon histoire ! »

– Hmm, ça me semble logique, dit le roi qui bâilla à nouveau, encore plus bruyamment, cette fois. Laissons au marchand le temps de faire passer ses moutons trois par trois sur la passerelle. Ainsi mon conteur aura le temps de prendre un peu de repos ! Entre-temps le roi s'était endormi. Il dormait si profondément que même le tonnerre ne l'aurait pas réveillé. Mais comme le conteur, qui savait si bien raconter les histoires, s'était assoupi lui aussi au chevet du roi, nous ne pouvons pas vous conter la fin de l'histoire.

s'assoupir :
s'endormir doucement.

au chevet de quelqu'un :
près de son lit.

Le songe de Charlemagne, miniature du XIVe siècle.

▼ Que demande le roi au conteur ?
▼ Qu'invente le conteur pour que le récit soit le plus long possible ?
▼ Explique le titre du conte.
▼ Que fais-tu quand tu n'arrives pas à t'endormir ?

Le buffle
et le grain de riz

Nguyêñ-nga, *Le Buffle et le grain de riz*, L'Harmattan.

Voici un conte venu du Vietnam, un pays d'Asie.

En ce temps-là, la terre était encore sauvage. Les hommes ne se nourrissaient que de viande, et les animaux, pour apaiser leur faim, se dévoraient entre eux. D'horribles plaintes montaient jusqu'au ciel.

L'Empereur du ciel, alerté, réunit les fées et les bons génies et leur dit :

– Si les hommes et les animaux continuent ainsi de s'entre-tuer, il ne restera bientôt plus personne sur la terre ! Dès aujourd'hui, je vais faire semer du riz et de l'herbe afin qu'hommes et animaux puissent se nourrir. Qui, parmi vous, accepterait de se charger de cette mission ?

Le génie Kim Quang se proposa aussitôt avec joie, car il rêvait depuis fort longtemps de faire un voyage sur la terre.

L'Empereur du ciel lui remit alors un sac de riz et cinq sacs d'herbe et lui fit cette recommandation :

– Quand tu arriveras sur la terre, tu sèmeras d'abord le riz et seulement après l'herbe. Si tu

apaiser :
calmer.

une recommandation :
un conseil.

Repiquage du riz en Cochinchine. 1938.

réussis ta mission, tu seras récompensé, sinon tu seras sévèrement puni.

Le génie Kim Quang prit les sacs et partit. Il arriva à destination si épuisé du voyage et fut si émerveillé par les paysages terrestres qu'il en oublia complètement les précieuses recommandations de l'Empereur du ciel : il sema d'abord les cinq sacs d'herbe. À sa grande stupeur, l'herbe poussa tellement vite qu'elle envahit toute la terre, ne laissant plus la moindre parcelle pour semer le riz.

De son palais, l'Empereur du ciel apprit la catastrophe. Il entra dans une terrible fureur. Il trans-

la stupeur :
un grand étonnement.

une parcelle :
un petit terrain.

un buffle :
un animal proche du bœuf.

paître :
brouter, manger.

éternellement :
pour toujours.

forma le génie Kim Quang en buffle, le condamnant à manger toute l'herbe qu'il avait semée. À cette seule condition, il pourrait redevenir génie. Malheureusement, chaque jour, l'herbe poussait davantage, et le buffle avait beau paître jour et nuit, il ne réussissait jamais à en venir à bout.

C'est ainsi que le génie Kim Quang resta éternellement buffle sur la terre, condamné à toujours paître l'herbe pour permettre aux hommes de cultiver le riz.

Un buffle et sa gardienne dans une rizière ;
Indochine, Tonkin, 1914-1918.

▼ À quoi comprends-tu que ce conte vient d'un pays d'Asie ?
▼ Que doit faire Kim Quang ?
▼ Que lui arrive-t-il ? Pourquoi ?
▼ À ton avis, est-ce que cette histoire est vraie ?

La chèvre de Monsieur Seguin

Texte d'Alphonse Daudet, adapté par Évelyne Lallemand,
7 contes câlins pour chaque soir de la semaine, Hachette.

Ah, qu'elle était jolie la chèvre de M. Seguin, avec ses yeux doux et ses longs poils blancs qui lui faisaient une houppelande !

Ah, qu'elle broutait l'herbe de bon cœur dans l'enclos ! « Elle, elle ne sera pas imprudente comme mes autres chèvres, se disait M. Seguin. Elle n'ira pas dans la montagne. Elle ne sera pas mangée par le loup… »

Un jour, pourtant, il la vit tourner la tête du côté de la montagne.

Pour qu'elle n'aille pas gambader là-haut, pour qu'elle ne soit pas mangée par le loup, il l'enferma vite dans l'étable.

À quoi bon ?

Un matin, la jolie petite chèvre blanche réussit à se sauver.

Quand elle arriva dans la montagne, les sapins la reçurent comme une reine.

Elle roula le long des talus.

Elle escalada des pics.

Elle franchit des torrents.

une houppelande :
un manteau grand et large.

un enclos :
un terrain entouré d'une clôture.

gambader :
sauter en s'amusant.

La fleur à la bouche, elle en oublia le loup qui mangeait les chèvres de M. Seguin quand elles se sauvaient.

Tout à coup, le vent fraîchit, la montagne devint violette.

C'était le soir.

« Reviens ! » criait le cor de M. Seguin, au loin.

Mais il était trop tard ! Le loup était déjà là, avec ses yeux méchants, ses crocs pointus.

Tête basse, cornes en avant, la chevrette décida de se défendre.

Plus de dix fois, elle força le loup à reculer.

Plus de dix fois, le loup faillit tomber dans le ravin.

Coups de cornes, coups de dents : le combat dura toute la nuit.

Mais quand le coq chanta dans la vallée, la chevrette épuisée s'allongea par terre dans sa fourrure tachée de sang.

Alors le méchant loup mangea l'imprudente chèvre de M. Seguin, qui, une journée durant, s'était si bien amusée dans la montagne.

▼ Pourquoi la chèvre a-t-elle tellement envie de partir ?
▼ Combien de temps dure l'aventure de la chèvre ?
▼ Que penses-tu de la petite chèvre ?
▼ Peux-tu tirer une leçon de cette histoire ? Laquelle ?

Pablo Picasso (1881-1973), *La Chèvre*.

Le chat ne sachant pas chasser

John Yeoman, *Le Chat ne sachant pas chasser*, Gallimard.

L'histoire se passe dans un moulin où vivent beaucoup de souris.

Bien qu'il n'eût jamais vu les souris, le meunier grincheux savait qu'elles étaient là. Il lui suffisait de voir leurs traces de pattes sur le sol, ses sacs grignotés, ou d'entendre dans la nuit leurs chansons. Alors, exaspéré, il acheta un jour un gros chat tigré pour chasser toutes ces souris.

Mais le meunier était si pingre qu'il ne donnait rien à manger à son gros chat. Et il avait si mauvais caractère qu'il le frappait souvent à coups de pied. Alors, le chat, tout triste, allait se morfondre dans un coin ; il savait bien qu'il n'était pas très doué pour chasser les souris.

Les souris, quant à elles, étaient fort chagrinées de voir ce chat si malheureux. La souris blanche, leur chef, convoqua alors une assemblée générale.

« Ce chat a besoin de prendre un peu d'exercice, dit-elle, il faut l'aider à nous chasser.

– Et cela servira à quoi ? demanda une petite souris dodue.

grincheux :
souvent de mauvaise humeur.

exaspéré :
très énervé.

pingre :
qui ne dépense pas facilement son argent, avare.

se morfondre :
être triste et s'ennuyer.

dodu :
un peu gros.

– Il sera en meilleure santé, plus heureux, dit la souris blanche, et il nous donnera de bonnes occasions de nous amuser. » Tout le monde l'approuva avec enthousiasme.

Elles commencèrent alors à rendre la vie du chat plus mouvementée. Parfois, elles s'asseyaient sur les ailes du moulin et lui faisaient des grimaces en passant devant la fenêtre contre laquelle il aimait se réfugier.

Il leur arrivait aussi de le couvrir de poussière de farine qu'elles lui renversaient sur le dos. Et souvent les souris les plus jeunes se laissaient pourchasser par lui en faisant semblant d'être terrorisées, pour que le chat reprenne un peu confiance en lui.

Tous ces jeux ne tardèrent pas à avoir de l'effet. Le chat reprit goût à la vie. Un jour, la souris blanche le surprit en train de s'entraîner devant un miroir.

D'abord, il s'exerça à se glisser sans le moindre bruit près d'un tournevis qu'il utilisait en guise de souris.

Puis il s'exerça à bondir férocement sur sa proie.

Ensuite, il s'exerça à recevoir les félicitations de son maître.

Fort contente de le voir ainsi à l'œuvre, la souris blanche,

Statue égyptienne, Basse Égypte.

pour l'encourager, dit d'une voix forte : « Ciel !
Voilà un chat redoutable ! Je me sens défaillir ! »
Puis elle s'enfuit en toute hâte.

À mesure que les jours passaient, le chat montrait
de plus en plus d'entrain et les souris s'en réjouis-
saient.

Chaque nuit, lorsque le chat dormait profondément
après s'être dépensé sans comp-
ter pour faire régner l'ordre dans
le moulin, les souris se réunis-
saient pour fêter leur succès.

défaillir :
se sentir mal.

en toute hâte :
rapidement.

l'entrain :
la bonne humeur.

Pierre Bonnard (1867-1947), *Le Chat blanc.*

▼ Pourquoi le chat est-il triste au début de l'histoire ?
▼ Que décident les souris ? Que font-elles ?
▼ Pourquoi le chat est-il plus gai à la fin ?
▼ Est-ce que ce texte te fait rire ? Pourquoi ?

Comment Obélix est tombé dans la marmite…

Goscinny/Uderzo, *Comment Obélix est tombé dans la marmite du druide quand il était petit*, Éditions Albert René.

Quand il était petit, Obélix n'aimait pas du tout se battre, et tous les enfants du village en profitaient. Alors, un jour, Astérix décide qu'Obélix doit boire de la potion magique pour être fort. En cachette, les deux amis entrent dans la hutte du druide pendant qu'il n'est pas là. Obélix a peur.

Honnêtement, je n'étais pas très tranquille moi-même, et je me sentais un peu comme un sanglier à la veille d'une victoire gauloise. Mais le village était presque désert, et nous avons pu nous approcher sans être vus de la hutte de notre druide.

Encore un moment d'hésitation et nous sommes entrés. (Il a fallu que je tire Obélix par la main. Il disait, qu'au fond, il n'avait pas envie de donner une leçon à ses camarades, et qu'après tout, ils avaient bien le droit de s'amuser gentiment.)

La hutte était dans la pénombre ; c'était très impressionnant : il y avait là des serpes d'or, du gui, des herbes, des marmites, des instruments inconnus.

– Allez ! On s'en va ! me dit ce pauvre Obélix qui tremblait comme un sanglier en gelée. (Ça se prépare comme de la crème renversée, mais à la place de la crème on met du sanglier.)

Mais là, au beau milieu de la hutte, il y avait une grande marmite, pleine à ras bord de potion magique. Une énorme marmite d'où s'échappait un parfum étrange.

La potion magique ! Là ! Dans la marmite ! j'ai soufflé.

À mon grand étonnement, Obélix a cessé de faire des difficultés ; il a même cessé de trembler. Il s'est passé la langue sur les lèvres et il m'a dit :

– C'est que ça sent bon, par Toutatis ! Je crois que je vais en goûter un peu !

Profitant de ces bonnes dispositions, je l'ai aidé à se hisser jusqu'au bord de la marmite et je lui ai dit de boire une bonne rasade, pendant que moi je faisais le guet à la porte.

une rasade :

une assez grande quantité de liquide.

En sortant de la hutte, qui vois-je arriver ? Eh oui ! Vous avez deviné : Panoramix, notre druide ! La bataille avait été plus courte que prévu. (J'ai appris par la suite que les Romains n'étaient pas venus pour se battre, mais pour proposer une trêve.

une trêve :

un arrêt dans un combat.

Quand ils ont enfin réussi à s'expliquer, ils avaient perdu la bataille.)

– Obélix, j'ai soufflé vers l'intérieur de la hutte, cache-toi vite ! Voici le druide !

souffler : ....
parler doucement.

J'ai entendu un « plouf ! » à l'intérieur, mais je n'ai pas eu le temps d'aller voir, parce que le druide passait devant moi et entrait dans la hutte, après m'avoir fait un sourire. J'étais drôlement inquiet pour Obélix.

Et puis, quelques instants après, j'ai entendu un cri de surprise, et j'ai vu le druide sortir de sa hutte en courant, avec mon ami Obélix dans ses bras. Mon ami Obélix, tout trempé, qui avait l'air bien content.

René Goscinny, Albert Uderzo, *Comment Obélix est tombé dans la marmite du druide quand il était petit*, illustrations de l'album.

▼ Qui raconte l'histoire ?
▼ Est-ce que les personnages ressemblent à ceux de la bande dessinée ? Explique ta réponse.
▼ Que penses-tu du titre de l'album ? Correspond-il bien à l'histoire ?
▼ Repère quelques expressions drôles.

Perceval

Maud Ovazza, *Les Chevaliers de la Table Ronde*, Ouest-France.

L'histoire se passe au Moyen Âge. Perceval est un jeune garçon qui vit dans une grande forêt où il ne voit pas beaucoup de monde.

Un jour, il vit venir vers lui trois êtres étranges : cela avait quatre pattes, une tête qui pouvait être celle d'un cheval, mais c'était recouvert de métal bruyant et brillant, et, au milieu du corps, on voyait une sorte de tronc humain, métallique et sans visage ! Le garçon lança ses javelots, qui retombèrent sans avoir pu même entamer la peau de l'un des monstres ! Il voulut fuir, mais celui-ci se mit au galop et le rattrapa.

« Eh bien ! Où cours-tu ? Nous n'allons pas te dévorer, nigaud ! De quoi as-tu peur ? Comment t'appelles-tu ?

— Perceval… Vous n'êtes donc pas des monstres ?

— Bien sûr que non !

— Attendez. Ma mère m'a dit que si je faisais un signe de croix, les monstres du Diable disparaîtraient. »

Il se signa. Les trois êtres éclatèrent de rire… et demeurèrent là.

« Bon. Si vous n'êtes pas des monstres du Diable, vous êtes des anges. Ma mère m'a dit que les anges

un javelot :
une sorte de lance.

entamer :
entrer dans.

un nigaud :
une personne qui se conduit de façon un peu bête.

se signer :
faire le signe de croix.

Perceval le Gallois, enluminure Perceval chez le roi pécheur qui présente le Graal. XIIᵉ siècle.

étaient brillants et riaient de bonheur ! »

Et il s'agenouilla.

« As-tu fini, enfin ? A-t-on jamais vu pareil ignorant ? Nous sommes des chevaliers de la Table Ronde, et nous avons perdu notre chemin. Indique-nous comment on sort de cette forêt ! »

Enfin rassuré, l'adolescent expliqua ce qu'on lui demandait. Puis, ayant aperçu les armes des trois hommes, il demanda des explications sur tout : la lance, l'épée, l'armure, les éperons. Lorsqu'il eut épuisé toutes les questions, les trois chevaliers remirent leurs montures en route.

« Eh ! Dites ! Je veux devenir chevalier, avoir des armes et briller au soleil comme vous ! Que dois-je faire ?

– Va à la cour du roi Arthur et demande-lui de te faire chevalier ! »

Et les trois compagnons s'éloignèrent dans un éclat de rire.

Cependant, Perceval avait ramassé ses javelots, émoussés par le choc sur les armures. Il retourna chez lui à toutes jambes. « Mère, mère ! Je veux partir ! Je veux être chevalier ! Je vais voir le roi Arthur et il me fera chevalier ! »

des éperons :
des pointes pour piquer le cheval et le faire avancer.

une monture :
un animal sur lequel on monte pour se déplacer.

émoussé :
rendu moins coupant.

▼ Pourquoi Perceval a-t-il peur, au début ?
▼ Qu'est-ce qu'un chevalier ? Comment est-il habillé ?
▼ Pourquoi Perceval veut-il être chevalier ?

Hänsel et Gretel

Virginie Lou, *Contes de l'Europe : les Enfants*, Casterman.

Hänsel et Gretel sont frère et sœur. C'est la deuxième fois que leurs parents, de pauvres bûcherons, ont voulu les perdre dans la forêt. La première fois, Hänsel a retrouvé la maison grâce aux petits cailloux blancs qu'il avait semés sur le chemin. Cette fois-ci, Hänsel a laissé tomber des miettes de pain.

Les parents conduisirent les enfants au cœur de la forêt. Hänsel avait émietté tout son pain sur le chemin. Comme la première fois, ils les installèrent près d'un feu et s'esquivèrent dès que les enfants furent endormis. Mais lorsque, réveillés, Hänsel et Gretel voulurent retrouver leur chemin, les oiseaux avaient mangé toutes les miettes de pain ! Ils marchèrent au hasard toute la nuit, et le lendemain, et le surlendemain, s'enfonçant toujours plus loin dans la forêt.

Au troisième jour, épuisés, ils virent un bel oiseau blanc. Son chant était si harmonieux qu'ils s'arrêtèrent pour l'écouter. Lorsqu'il s'envola, ils le suivirent et arrivèrent ainsi à une maisonnette aux murs de pain d'épice, au toit de biscuit et aux fenêtres de sucre d'orge.

– Mangeons, petite sœur ! s'exclama Hänsel.

Tandis qu'ils croquaient à belles dents tantôt un

s'esquiver :
partir, s'enfuir.

harmonieux :
agréable à entendre.

morceau de volet, tantôt un coin de toit, une voix limpide s'éleva :

limpide :
clair.

> *Grignote, grignote, grignotons*
> *Qui donc grignote ma maison ?*

Et les enfants répondirent :

> *Le vent, ce n'est que le vent*
> *C'est le vent, ce céleste enfant.*

céleste :
qui appartient au ciel.

Et ils continuèrent à se régaler. C'est alors que la porte s'ouvrit brutalement : une femme épouvantablement vieille sortit, appuyée sur une béquille.

La maison de pain d'épice, illustration de Rackham pour les contes de Grimm, début du XXe siècle.

Terrifiés, Hänsel et Gretel laissèrent tomber ce qu'ils avaient dans la main. Mais la vieille les invita gentiment à entrer et les fit manger : du lait, des crêpes au sucre, des pommes et des noix. Puis elle les fit coucher dans deux jolis petits lits tendus de blanc.

Le lendemain matin, la vieille empoigna Hänsel de ses mains sèches et l'enferma dans une remise, derrière une porte à claire-voie. Puis elle alla secouer Gretel :

– Debout paresseuse ! rugit-elle. Va chercher de l'eau et fais cuire quelque chose de bon pour ton frère, qui est là-bas dans la remise. Il doit engraisser, car dès qu'il sera bien gras, je le mangerai !

Gretel, en pleurant, dut obéir. Chaque jour, Hänsel était nourri des mets les plus fins. Gretel n'avait que les restes. Chaque matin, la vieille se traînait jusqu'à la remise et criait :

– Hänsel, passe ton doigt dehors, que je sente si tu seras bientôt gras. Mais le malin petit garçon, à la place de son doigt, tendait un os de poulet. Or les sorcières ont les yeux rouges et une très mauvaise vue : celle-là était myope comme une taupe et elle ne s'apercevait pas de la supercherie. Au bout de quatre semaines, Hänsel semblait toujours aussi maigre. Alors la vieille perdit patience.

– Gretel, cria-t-elle, apporte-moi de l'eau ! Qu'il soit maigre ou pas, demain je le fais cuire, ton Hänsel !

une remise :
un endroit abrité où l'on range des affaires, un débarras.

à claire-voie :
avec des ouvertures.

un mets :
de la nourriture, un plat.

une supercherie :
une tromperie.

Ah ! comme elle se lamenta, la pauvre petite sœur !

— Épargne-moi tes jérémiades, dit la vieille, ça ne sert à rien.

Le lendemain, Gretel dut suspendre le chaudron rempli d'eau et allumer le feu.

— Tout d'abord, nous allons cuire le pain, dit la vieille. J'ai déjà fait chauffer le four et la pâte est pétrie. Elle poussa la malheureuse Gretel devant le four où ronflaient les flammes.

Hänsel tend un os de poulet à la sorcière, illustration, début du XXe siècle.

– Faufile-toi à l'intérieur pour vérifier s'il est assez chaud.

La sorcière avait l'intention de refermer la porte dès que Gretel serait entrée, et de manger la fillette rôtie. Mais la petite avait deviné.

– Je ne sais pas comment m'y prendre, gémit-elle. Montrez-moi s'il vous plaît.

– Stupide dinde ! dit la vieille en s'approchant, puis en passant sa tête dans le four. D'un grand coup d'épaule dans les fesses, Gretel la poussa, la vieille bascula dans les flammes et la petite referma bien vite la porte. La sorcière périt en poussant des hurlements affreux.

périr :
mourir.

Gretel courut délivrer son frère. Quelle joie !

En fouillant la maison de la sorcière, ils trouvèrent des coffres pleins de perles, d'or et de pierres précieuses. Hänsel en remplit ses poches, Gretel son tablier. Puis ils repartirent. Une large rivière leur barra le chemin, mais un canard blanc leur proposa aimablement de les faire traverser. Et sans encombre ils retrouvèrent leur maison.

sans encombre :
sans problème.

Leur mère était morte. Le bonheur de leur père, lorsqu'il les vit, fut immense. Avec le trésor de la sorcière, ils vécurent parfaitement heureux et sans souci.

▼ Les deux enfants trouvent plusieurs ruses pour se tirer d'affaire. Lesquelles ?
▼ Repère tout ce qui est magique dans ce conte.
▼ Qu'est-ce qui ressemble à l'histoire du Petit Poucet ?
Qu'est-ce qui est différent ?

Le roi Midas
et le fleuve Pactole

Renée Grimaud, *Les Colonnes d'Hercule, Atlas de la mythologie grecque*, Hatier.

Dionysos est un dieu grec de l'Antiquité. Pour remercier Midas qui lui a rendu service, il lui demande de faire un vœu.

évoquer :
faire penser à.

une mésaventure :
une aventure malheureuse.

accorder l'hospitalité :
recevoir dans sa maison.

précipitamment :
très vite.

une tunique :
une chemise longue.

Pactole. Ce fleuve d'Asie Mineure évoque les mésaventures du roi Midas. En remerciement de l'hospitalité qu'il avait accordée à Silène, un des vieux compagnons du dieu, Dionysos offrit à Midas de formuler un vœu. « Je veux que tout ce que je touche devienne de l'or », répondit celui-ci. Tout se passa comme le roi l'avait souhaité. Il tendit le bras, posa la main sur un siège qui se transforma en or ; mais il dut enlever précipitamment sa tunique, gêné par le poids d'or qu'elle représentait ! Il s'imaginait déjà l'homme le plus riche du monde et courait de pièce en pièce, touchant tout ce qu'il voyait.

Les choses se compliquèrent quand il voulut boire. Il ordonna à son serviteur de lui apporter une coupe remplie d'eau, dont le contenu se changea en or dès qu'il la porta à ses lèvres. Il essaya de manger une grappe de raisin, mais chaque grain devenait de l'or entre ses dents !

une méprise :
une erreur.

Alors Midas comprit l'étendue de sa méprise.

Qu'importait d'être riche, s'il était destiné à mourir de faim et de soif ? Il retourna voir Dionysos qui lui ordonna de se tremper dans le Pactole. Sans attendre, Midas s'y plongea, et ce fut la raison, dit-on, de l'or que l'on trouve depuis dans les eaux de la rivière.

Vase grec représentant Dionysos.

▼ Quel vœu Midas fait-il ?
▼ Que penses-tu de ce vœu ?
▼ Comment Midas trouve-t-il une solution à son problème ?

L'ours et les amis

Margaret Clark, *Fables d'Ésope*, adaptées par Marie Farré, Gallimard.

Deux amis marchaient en forêt
quand survint un ours géant.
L'un des compagnons, terrifié,
grimpa à un arbre en tremblant.
Le second s'aplatit par terre et fit
le mort.
L'ours le renifla et… mystère !
Il s'éloigna, quel réconfort !
« Que t'a-t-il chuchoté ?
demanda celui qui avait fui.
– Un véritable ami vous aide en cas de danger. »

terrifié :
très effrayé.

le réconfort :
quelque chose qui aide, qui rassure.

▼ Raconte l'histoire avec tes mots.
▼ L'ours a-t-il vraiment parlé à l'homme qui était par terre ?
Explique ta réponse.
▼ Trouve la phrase qui explique la morale de cette histoire.

Corbeau et Renard, manuscrit arabe,
Kalila wa Dihina, XIIIe siècle.

Les contes et histoires

Le corbeau
et le renard

Jean de La Fontaine, *Fables*.

Maître corbeau, sur un arbre perché,
Tenait en son bec un fromage.
Maître renard, par l'odeur alléché,
Lui tint à peu près ce langage :
Hé ! bonjour, monsieur du corbeau.
Que vous êtes joli ! que vous me semblez beau !
Sans mentir, si votre ramage
Se rapporte à votre plumage,
Vous êtes le phénix des hôtes de ces bois.
À ces mots le corbeau ne se sent pas de joie ;
Et, pour montrer sa belle voix,
Il ouvre un large bec, laisse tomber sa proie.
Le renard s'en saisit, et dit : *Mon bon Monsieur,*
Apprenez que tout flatteur
Vit aux dépens de celui qui l'écoute.
Cette leçon vaut bien un fromage, sans doute.
Le corbeau, honteux et confus,
Jura, mais un peu tard, qu'on ne l'y prendrait plus.

alléché :
attiré.

le ramage :
le chant des oiseau.

se rapporter à :
ressembler à.

un phénix :
une personne de grande qualité.

un hôte :
un habitant.

vivre aux dépens de :
vivre aux frais de quelqu'un.

▼ Quel est le défaut du corbeau ?
▼ Que veut le renard ?
▼ Que fait-il pour l'avoir ?
▼ Trouve la phrase qui explique la morale de cette histoire.

Anti-conte

Jacques Faizant, in Muriel Bloch, *365 contes pour tous les âges*, Gallimard.

Il y a longtemps, bien longtemps
Il y avait une bergère
Qui gardait ses moutons bêlants
Dans une clairière

Les moutons étaient tout pelés
Et la bergère était affreuse
Laide, les cheveux mal peignés
Et paresseuse

Le fils du roi vint à passer
C'était un parfait imbécile
Il n'était ni beau ni bien fait
Ni juvénile

juvénile :
jeune.

Et comme il était de surcroît
Myope comme une théière
Il passa sans voir le minois
De la bergère

de surcroît :
en plus.

le minois :
le visage.

Laquelle à ce moment précis
Cherchait un pou dans son corsage
Ce qui fait qu'elle ne le vit
Pas davantage

Le fils du roi obtint la main
D'une cousine abominable
Et la bergère épousa un
Garçon d'étable

Et tout s'étant ainsi passé
Avec la plus saine logique
Sans le concours d'aucune fée
Au don magique

Ils furent très malheureux
Et n'eurent pas un seul enfant

C'est ainsi qu'il faut raconter
Aux petits enfants les légendes
Si vous désirez éviter
Qu'ils vous en redemandent

obtenir la main
de quelqu'un :
épouser quelqu'un.

avec la plus
saine logique :
*comme cela se passe
normalement.*

Jean-François Millet, *La Petite Bergère*, vers 1850-1855.

▼ Cherche tout ce que l'on trouve habituellement dans un conte.
▼ Qu'est-ce qu'il faudrait changer pour avoir un vrai conte ?
▼ Essaie d'expliquer le titre.
▼ Que penses-tu de la fin de cette histoire ?

Le Petit Chaperon Rouge

Roald Dahl, *Un conte peut en cacher un autre*, Gallimard.

Quand le loup sentit des tiraillements
Et que de manger il était grand temps,
Il alla trouver Mère-Grand.
Dès qu'elle eut ouvert, elle reconnut
narquois : Le sourire narquois et les dents pointues.
qui se moque. Le loup demanda : « Puis-je entrer ? »
La grand-mère avait grand-peur.
sur l'heure : « Il va, se dit-elle, me dévorer sur l'heure ! »
tout de suite. La pauvre femme avait raison :
Le loup affamé l'avala tout rond.
coriace : Mais la grand-mère était coriace.
dur. « C'est peu, dit le loup faisant la grimace,
C'est à peine s'il m'a semblé
Avoir eu quelque chose à manger ! »
glapir : Il fit le tour de la cuisine en glapissant :
crier d'une voix aiguë. « Il faut que j'en reprenne absolument ! »
Puis il ajouta d'un air effrayant :
« Je vais donc attendre ici un moment
Que le Petit Chaperon Rouge revienne
Des bois où pour l'instant elle se promène. »
(Un loup a beau avoir de mauvaises manières,

Le Petit
Chaperon Rouge,
images d'Épinal, XIXe siècle.

Il n'avait pas mangé les habits de grand-mère !)
Il mit son manteau, coiffa son chapeau,
Enfila sa paire de godillots,
Se frisa les cheveux au fer
Et s'installa dans le fauteuil de grand-mère.
Quand Chaperon Rouge arrive, essoufflée,
Elle trouva grand-mère plutôt changée :
« Que tu as de grandes oreilles, Mère-Grand !
– C'est pour mieux t'écouter, mon enfant !

des godillots :

*des grosses
chaussures.*

– Que tu as de grands yeux, Mère-Grand !
– C'est pour mieux te voir, mon enfant ! »
Derrière les lunettes de Mère-Grand,
Le loup la regardait en souriant :
« Je vais, pensait-il, manger cette enfant.
Ce sera une chair plus tendre que la Mère-Grand ;
Après les merles, un peu secs, des ortolans ! »
Mais le Petit Chaperon Rouge déclara : « Grand-mère,
Tu as un manteau de fourrure du tonnerre !
– Ce n'est pas le texte ! dit le loup. Attends…
Tu devrais dire : "Comme tu as de grandes dents !"
Enfin… peu importe ce que tu me dis ou non,
C'est moi qui vais te manger, de toute façon ! »
La petite fille sourit, puis, battant des paupières,
De son pantalon, sortit un revolver.
C'est à la tête qu'elle visa le loup,
Et *Bang* ! l'étendit raide mort d'un coup.
Quelque temps après, dans la forêt,
Chaperon Rouge j'ai rencontré.
Quelle transformation ! Adieu rouge manteau !
Adieu ridicule petit chapeau !
« Salut ! me dit-elle, regarde donc, s'il te plaît,
Mon manteau en loup, comme il est croquignolet ! »

un ortolan :
*un petit oiseau,
très bon à manger.*

croquignolet :
*mignon, en langage
familier.*

▼ Raconte la véritable histoire du Petit Chaperon Rouge.
▼ Trouve dans ce texte tout ce qui ressemble à la véritable histoire.
▼ Trouve tout ce qui est différent.
▼ À ton avis, pourquoi l'auteur a-t-il écrit ce texte ?

Les contes et histoires

La Tarasque

Claude Clément, *Contes traditionnels de Provence*, Milan.

L'histoire se passe en Provence, dans le sud de la France. La Tarasque est un horrible dragon qui sème la terreur partout dans la région. Mais un jour, une jeune fille arrive. Elle propose aux habitants d'aller toute seule laver leur linge dans le fleuve, près de la grotte où habite le monstre.

– Attention ! Tu vas salir mon linge…

Alors, la bête s'immobilisa, comme figée par ces paroles et par ces éclaboussures. Un instant, elle demeura pétrifiée. Puis, Marthe ajouta d'une voix radoucie :

demeurer pétrifié : *rester immobile, figé.*

– Pauvre bête ! Il semble que personne ne prenne soin de toi. Viens t'asseoir près de moi et conte-moi tes peines… Moi aussi j'ai vécu des moments difficiles, dans mon pays et sur la mer où je me suis enfuie avec quelques-uns des miens…

Alors, le monstre parut retrouver vie. De ses yeux rouges coulèrent quelques larmes. Il s'approcha et s'installa sur une plage de graviers en demandant :

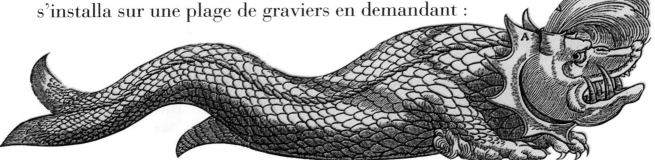

Cosmographie universelle de Sébastien Munster, 1550.

– Dis-moi ce qui t'est arrivé au-delà des mers.

Et Marthe commença à parler. Elle parla de son pays et de ceux qu'elle y avait rencontrés. Elle parla de son voyage et de son arrivée sur une plage de sable fin où l'avait accueillie une Gitane noire… Elle parla d'amour et d'espérance. Elle en parla si bien que la bête, apprivoisée, s'endormit auprès d'elle.

Les pêcheurs, enthousiasmés par ce prodige, s'en furent prévenir les autres gens de la région qui affluèrent au bord du fleuve.

Ils y trouvèrent la jeune femme lavant la boue qui salissait les écailles du monstre et demeurèrent un instant stupéfaits, incapables de bouger ni de prononcer un mot. Lorsque Marthe détacha sa ceinture et l'accrocha au cou de l'animal pour l'emmener avec elle, ils se précipitèrent avec des haches, des pieux et des lances…

– Non ! Je vous en prie… Elle n'est plus méchante… protesta la lavandière.

Mais ceux qui avaient perdu leur frère, leur fils, leur cheval, leur bœuf ou leur agneau ne l'entendaient pas de cette oreille. Ils tombèrent sur le monstre à bras raccourcis et le transpercèrent de leurs armes, faisant gicler autant de sang que la Tarasque en avait fait couler. Avant de rendre le dernier soupir, la bête lança vers Marthe un regard plein de reconnaissance :

– Avec toi, pour la première fois, j'ai senti mon

un Gitan :
un nomade.

un prodige :
un événement merveilleux.

affluer :
arriver en grand nombre.

à bras raccourcis :
avec une grande violence.

cœur se vider de sa haine, mon souffle devenir pur, mes yeux devenir tendres… Un instant, j'ai même cru que je pouvais devenir belle !

Puis elle expira. On traîna son corps immense sur une place de la ville où on le laissa exposé au soleil tandis que Marthe était portée en triomphe et sacrée patronne de la ville. La carcasse du monstre se dessécha, des hommes se glissèrent à l'intérieur et l'animèrent d'une seconde vie, faisant bouger sa tête, fouettant l'air de sa queue et crachant le feu par ses naseaux tandis qu'autour, la foule en liesse chantait un refrain qui, de bouche en bouche, se mit à serpenter dans les rues :

La gadeù, Lagadigadeù, la tarascou !
La gadeù, Lagadigadeù, lou casteù !

expirer :
mourir.

les naseaux :
les narines d'un animal.

en liesse :
très joyeux.

La Tarasque, images d'Épinal, XIXe siècle.

▼ La jeune fille réussit à calmer le dragon. Comment s'y prend-elle ?
▼ Que penses-tu de la jeune fille ?
▼ Est-ce que les habitants ont eu raison de tuer la Tarasque ?
Explique ta réponse.

Les enfants perdus

Vladimír Hulpach, *Légendes et contes des Indiens d'Amérique*, Gründ.

Il était une fois, chez les Indiens d'Amérique, sept frères très pauvres qui n'avaient plus rien à manger. Un jour, ils se retrouvèrent tous ensemble pour parler, autour d'un grand feu.

l'argile :

terre molle et grasse, terre glaise.

« Ce monde, c'est un mauvais endroit. Peut-être ferions-nous tout aussi bien de le quitter. Nous pourrions nous changer en… eh bien… en argile, par exemple. Alors, nous aurions la paix. Nous n'aurions plus besoin de rien. »

« Non, l'argile, c'est la mort. Changeons-nous plutôt en rocher », suggéra le second frère.

« Non ! Le rocher, il s'effrite. Nous ferions mieux de devenir de grands arbres. » C'était l'idée du troisième frère. Mais le quatrième en avait une autre :

« L'orage pourrait nous abattre. Devenons de l'eau. Nous serons en sécurité, personne ne pourra nous faire du mal. »

Mais le cinquième frère lui laissa à peine le temps d'achever et l'interrompit : « Et le Soleil, qu'est-ce que tu en fais ? Si l'envie lui prend, il peut assécher n'importe quelle eau ! Devenons plutôt la nuit. La nuit, elle, nous a toujours protégés. »

Cette proposition les fit réfléchir longuement, et ils étaient sur le point de l'accepter, quand le sixième frère leva la main pour indiquer qu'il allait parler à son tour :

« Non. Même la nuit, elle n'est pas toute-puissante. Inlassablement, elle est chassée par le jour, et qu'est-ce qu'elle devient ? Je crois qu'il vaudrait mieux que nous devenions le jour, plutôt que la nuit. »

inlassablement : *toujours, sans cesse.*

Pesant le pour et le contre, ils gardèrent assez longuement un silence que rompit enfin l'aîné :

rompre le silence : *se remettre à parler.*

« Vous le savez bien, le jour lui non plus ne dure pas éternellement. Le ciel bleu seul est éternel. Nous ne pouvons pas devenir le ciel bleu, car un seul ciel suffit aux Indiens. Mais il y a, dans le ciel, des choses merveilleuses, les étoiles. Je crois bien qu'elles nous accepteraient parmi elles. »

En entendant ces sages paroles, les garçons se réjouirent fort. Oui ! C'était là la réponse : ils allaient se changer en étoiles !

Toutes les bûches qui restaient, ils les jetèrent en une fois sur le feu, qui devint immense et clair. Il illuminait toute la clairière.

C'était ce que les frères attendaient. Se redressant d'un bond, ils se prirent par la main et lentement, très lentement, se mirent à danser une ronde.

Gravure colorée d'un chef indien, XIXᵉ siècle.

À chaque pas, leur fatigue semblait s'évaporer. Leurs talons frappaient le sol de plus en plus vite, sans s'arrêter. Déjà, c'est à peine s'ils touchaient encore terre, puis voilà que, toujours se tenant par la main et tournoyant, ils s'élevèrent dans les airs, portés par la chaleur du feu. Puis, bien bas en dessous d'eux, ils virent que leur feu s'éteignait, mais eux, ils montaient, montaient toujours. Montaient tout là-haut, jusqu'à la grande piste blanche de Wakinu.

Comme elle est immense, la plaine étoilée, par-dessus le pays indien !

Et maintenant que le ciel nocturne les enveloppe de ses merveilles, les sept frères s'arrêtent enfin de danser. Ils regardent autour d'eux, stupéfaits d'admiration. Ils voient sept wigwams féeriques, qui semblent les attendre. Ils y courent, chacun vers une hutte.

À l'intérieur, une surprise attend chacun d'eux.

Sur les murs, sur le sol, partout où se pose leur regard, sont étalés des objets admirables. Les sept frères ont le souffle coupé devant toutes ces richesses déployées à leur intention. De superbes vêtements neufs joliment brodés, de rutilantes coiffures de chefs, de fins mocassins, voisinent avec une réelle corne d'abondance qui dispense des nourritures les plus choisies.

Chacun des jeunes gens se vêtit rapidement et sortit en courant pour aller se montrer à ses frères et

tournoyer :
tourner.

un wigwam :
une tente, une hutte.

déployé :
disposé.

rutilant :
brillant.

une corne d'abondance :
une corne magique qui donne tout ce que l'on désire, et qui représente la richesse.

Les contes et histoires

leur faire partager sa bonne chance.

Une nouvelle surprise les attendait : leurs vêtements étaient exactement pareils. Ils rutilaient du même éclat d'or. Dans un étonnement sans borne, les frères se contemplaient, se demandant ce qui leur était arrivé. L'aîné a trouvé la réponse à leur question muette :

« Le Grand Esprit a accompli notre vœu. Il nous a appelés à lui, et nous sommes devenus des étoiles. »

Et c'était vrai. Depuis lors, quand vient l'automne et que le pelage des buffles tourne au brun, les enfants du pays indien lèvent les yeux vers le ciel. Ils comptent les frères perdus dans la Pléiade, cette magnifique constellation. Toutefois, ils arrivent rarement à les compter tous les sept. Le wigwam du frère aîné perche beaucoup plus haut que les autres. Son éclat se perd dans l'immensité du ciel.

August Macke, *Indiens*, 1911.

▼ Pourquoi les sept frères veulent-ils quitter ce monde ?
▼ Pourquoi veulent-ils se changer en étoiles ?
▼ Qu'est-ce qui rappelle aux Indiens l'existence des sept frères ?
▼ Et toi, en quoi aimerais-tu te changer ? Explique ta réponse.

FARCEVRS FRANÇOIS ET ITALIENS

THEATRE

Le théâtre

Mauvais élève

Christian Lamblin, *Mauvais élève*, Retz.

Personnages

Le père, le fils (ou la fille)

Le fils – Tu sais, papa *(ou « maman »)*…

Le père – Non, je ne sais pas encore… Mais je ne vais pas tarder à savoir !

Le fils – En classe, il y a un garçon *(ou « une fille »)* qui est assis juste à côté de Jérôme. Eh bien, il n'arrête pas de faire des bêtises !

Le père – Ah bon ? Qu'est-ce qu'il fait ?

Le fils – Je te donne un exemple : il prend la gomme de Jérôme, il la découpe en petits morceaux et il les jette en l'air, comme si c'étaient des confettis !

Le père – Ça alors ! Et la maîtresse ne dit rien ?

Le fils – Si, bien sûr ! Elle le punit… Mais ça ne sert à rien parce qu'il ne fait jamais ses punitions !

Le père – Ça alors ! Il faut l'envoyer chez la directrice ! Elle convoquera ses parents et ce vilain gamin se fera disputer ! Bien fait pour lui !

Le fils – Tu as sûrement raison, papa… Mais j'espère que ses parents ne seront pas trop sévères…

Le père – Dis-moi… J'espère que ce garnement n'est pas ton copain !

Le fils – Oh non, papa ! Mais je le connais bien !

un garnement :
un enfant insupportable.

Le père – Tu n'es pas assis à côté de lui, j'espère !

Le fils – Oh non, papa ! Moi je suis assis à côté de Jérôme…

Le père – À côté de Jérôme… À côté de Jérôme… *(Le père réfléchit en se grattant la tête. Soudain, expression d'horreur.)* Mais alors, si tu es assis à côté de Jérôme… Le petit pénible qui découpe les gommes… Le casse-pieds qui ne fait jamais ses punitions… C'est toi !

Le fils – Eh oui, papa ! Et le pauvre papa qui va être convoqué par la directrice, c'est toi ! *(Le papa se frappe le front et s'évanouit. L'enfant se tourne vers le public.)* Pauvre papa ! Il voulait que je sois le premier de la classe… Eh bien il a gagné ! Je suis le premier, mais en commençant par la fin !

Robert Doisneau (1912-1995), *Les doigts pleins d'encre.*

▼ Que doit annoncer le fils (ou la fille) ?
▼ Comment s'y prend-il ?
▼ À quel moment comprends-tu où il veut en venir ?

Une drôle de vache

François Fontaine, *Des sketches à lire et à jouer pour les 5-8 ans*, Retz.

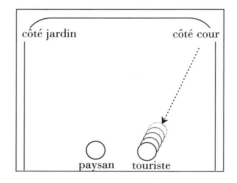

biner :
travailler la terre, la retourner.

Au début de la scène, le paysan sera occupé à biner à l'emplacement indiqué sur le plan. Le touriste fera son entrée par le côté cour et se dirigera vers lui pour rejoindre sa position avant de commencer le dialogue. On peut imaginer que le paysan ne lèvera la tête qu'à la première réplique.

une réplique :
ce qu'un acteur dit à un autre acteur.

La scène se passe au bord d'un champ.

Le touriste *(au paysan)* – Bonjour monsieur.

Le paysan – Bonjour.

Le touriste – Elles sont drôlement belles vos pommes de terre !

Le paysan – Ce ne sont pas des pommes de terre, ce sont des betteraves.

Le touriste – Ah ! C'est pour ça qu'elles sont si grosses.

Le paysan – Ben oui, les betteraves, c'est plus gros que les pommes de terre.

Le touriste *(désignant du doigt la direction d'où il vient)*
– C'est à vous le champ près du pommier, là-bas ?

Le paysan – Oui, mais ce n'est pas un pommier, c'est un sapin. Pourquoi ?

Le touriste – Parce qu'il y a une vache dedans qui a l'air vraiment bizarre.

Le paysan *(amusé)* – Ah oui ? Qu'est-ce qu'elle a de bizarre cette vache ?

Le touriste – Elle n'a pas de cornes. C'est quand même drôle, une vache sans cornes.

La Vache qui rit, illustration de Benjamin Rabier (1869-1939).

Franz Marc, *La Vache jaune*, 1911.

Le paysan – Oui, c'est vrai. Mais vous savez, les vaches, il leur arrive de se prendre les cornes dans une clôture.

Le touriste – Je vois, et elles les cassent en essayant de se dégager.

Le paysan – C'est cela. Mais celle-là, c'est autre chose.

Le touriste – Ah ?

Le paysan – Il y a aussi des vaches qui se battent des fois…

Le touriste – Je vois, et elles se cassent les cornes en se battant.

Le paysan – C'est cela. Mais celle-là, c'est autre chose…

Le touriste – Ah ?

Le paysan – Il y a des vaches qui tombent malades aussi…

Le touriste – Je vois, et leurs cornes tombent toutes seules, comme des dents.

Le paysan – C'est cela. Mais celle-là, c'est autre chose…

Le touriste – Ah ?

Le paysan – Il y a des vaches qui sont méchantes aussi…

Le touriste – Je vois, et on leur coupe les cornes pour qu'elles ne blessent personne.

Le paysan – C'est cela. Mais celle-là, c'est autre chose…

Le touriste – Ah ? Mais qu'est-ce qu'elle a celle-là alors ?

Le paysan – Eh bien celle-là, elle n'a pas de cornes parce que c'est un cheval !

▼ Repère toutes les « erreurs » du touriste.

▼ Que penses-tu du paysan ?

▼ Que penses-tu du touriste ?

▼ Est-ce que cette petite pièce te fait rire ? Pourquoi ?

▼ Est-ce que cette histoire pourrait être une histoire vraie ? Explique ta réponse.

C'est bien naturel

Blanchette Marcorelles, *Jouons la comédie, 10 comédies pour enfants*, Dessain et Tolra.

Laurent a été reçu à un examen. Pour fêter cela, toute la famille va manger au restaurant. Le père, la mère et les deux enfants ont tous commandé le même menu, qui commence par du homard.

La serveuse apporte le homard. Elle fait quelques pas sur le devant de la scène, afin que le public ait le temps d'admirer le homard. Ils commencent à manger.

Le patron – Bon appétit. *(il s'éloigne)*

Maman – Du homard ! Je crois bien que je n'en ai pas mangé depuis le jour de notre mariage.

Laurent *(déçu)* – Ce n'est pas si extraordinaire que ça, comme goût.

Papa – Tu es difficile !

la déveine :
le manque de chance.

Marie *(elle fait la grimace)* – Moi, ça ne me dit pas tellement… Si tu veux ma part…

Maman – Il faut reconnaître que ce homard est… bizarre.

Papa *(il met le nez au-dessus du plat)* – Il sent le mazout, pardi ! Quelle déveine ! Mademoiselle, appelez le patron, s'il vous plaît !

La serveuse – Bien, Monsieur.

Laurent – Si j'avais su, j'aurais commandé des radis.

Le patron *(mine réjouie)* – Monsieur, vous désirez me voir ?

Papa – Oui, pour vous dire que votre homard sent le mazout à plein nez !

Le patron – C'est bien naturel ! Avec tous ces pétroliers qui vidangent le long des côtes, ils se régalent, les braves petits homards ! Il faut s'y habituer, vous savez. On n'en trouvera plus d'autres.

Papa – C'est immangeable ! Donnez-nous le plat suivant.

La serveuse – Voilà les petits pois. *(elle pose le plat sur la table. Maman fait le service.)*

Marie – Ils sont énormes, ces petits pois !

Laurent – On dirait des billes !

Maman – Ce ne sont pas des extra-fins.

Le patron – Mais si, Madame. Seulement, ce sont des petits pois anglais. Dame, c'est bien naturel, avec le marché commun…

La serveuse – Je vous pose la salade sur la table.

Papa – Merci.

Marie *(elle se lève)* – Oh, quelle horreur !

Maman – Quoi, encore ?

Marie – Regarde, là, dans la salade, une limace !

Papa – Eh, patron ! Écoutez, c'est inadmissible ! Une limace dans la salade !

inadmissible :
qu'on ne peut pas excuser.

Le patron – C'est bien naturel, voyons ! Les salades de mon jardin sont arrosées matin et soir. Tout le monde sait que l'humidité attire les escargots et les limaces. Goûtez donc ces feuilles de laitue toutes croquantes… D'ailleurs, c'est très bon, les limaces. Mon grand-père en mangeait le matin pour son petit déjeuner avec des tartines de pain beurré.

Maman *(elle boit)* – Dites-moi, Monsieur, votre eau minérale, elle n'est pas très rafraîchissante…

Le patron – C'est bien naturel, Madame. À Vichy, elle coule à 40 degrés. Je ne vais pas la dénaturer en la mettant dans le frigidaire !

Maman – Avec cette chaleur, ce ne serait pourtant pas du luxe de boire frais !

La serveuse – Ces messieurs-dames ont terminé ? Je vous apporte les fraises et les meringues.

Papa – Merci bien.

Marie – Elles sont un peu écrasées, vos fraises.

La serveuse – Mettez beaucoup de sucre dessus, et il n'y paraîtra rien.

Laurent – C'est de la bouillie !

La serveuse – Vous savez, c'est bien naturel. Avec l'orage qu'il y a eu cette nuit, elles ont un peu tourné…

Maman – Moi, j'ai les intestins fragiles. Je ne mange pas de fraises tournées.

Marie – Maman, regarde cette meringue, elle est noire…

Maman – Montre… Mais ça bouge…

Laurent – Ma parole ! Elle est pleine de fourmis !

Marie se lève et se retourne. Elle a mal au cœur.

Papa – Laurent, fais vite sortir ta sœur ! *(il la prend par le bras et l'emmène. La serveuse suit, agitant un torchon.)*

Revue officielle du Salon des arts ménagers, juillet 1927.

La serveuse – Un peu d'air frais, ça vous fera du bien.

Le patron – Un accident ?

Papa – C'est votre faute, si ma fille a mal au cœur. Des fourmis vivantes dans les meringues !

Le patron – C'est bien naturel, Monsieur. Ces bêtes-là, elles sentent le sucre à des kilomètres ! Mes meringues ne sont pas faites avec de la saccharine !

(Laurent, Marie et la serveuse reviennent.)

la saccharine :
un produit qui imite le sucre.

La serveuse – Vous prenez tous du café ?

Maman – Bien sûr… pour nous consoler du reste.

(la serveuse sert avec une cafetière)

Laurent – Aïe, Aïe ! Une mouche dans ma tasse ! Une grosse mouche à viande ! C'est dégoûtant !

La serveuse – Mais non, c'est bien naturel quand le café est bouillant. Les mouches sont toujours attirées par la chaleur.

Maman – Cette fois, j'en ai assez. Partons au plus tôt.

La serveuse – Attendez, je vous apporte la note tout de suite.

Ils se lèvent.

Papa – Je ne suis pas près de remettre les pieds dans cette maison !

La serveuse revient avec la note. Le père sort son portefeuille et pose un billet sur la table. Ils s'éloignent mais la serveuse leur barre la route.

La serveuse – Il n'y a pas le compte, Monsieur ! Ne partez pas comme ça ! Le patron va croire que j'ai mis de l'argent dans ma poche !

Le patron – Encore du grabuge ?

La serveuse – Le client n'a payé que la moitié…

Papa – C'est tout naturel ! Moi, je ne donnerai pas un sou pour les mouches, les limaces et les fourmis !

du grabuge :
une dispute bruyante.

▼ Retrouve le menu du repas.
▼ Que se passe-t-il à chaque plat ?
▼ Explique le titre de cette petite pièce.
▼ Que penses-tu du patron ?
▼ Qu'est-ce qui est drôle dans cette histoire ?

Auguste Renoir. *Le Déjeuner des canotiers*, 1880-1881.

Le trésor de l'avare
Intermède pour ombres chinoises

Évelyne Lecucq, *Des pièces pour marionnettes de 6 à 12 ans*, Retz.

Personnages : *L'avare ; le voleur ; un passant.*
Accessoire : *un coffre.*

en loques :
avec des vêtements déchirés.

L'avare, maigre et en loques, arrive sur l'écran, côté cour. Il marche nerveusement en secouant ses bras dans tous les sens.

côté cour :
à droite de la scène.

L'avare – Ma femme se plaint de ma manière de m'habiller… Mais je n'ai pas l'intention de dépenser de l'argent pour m'acheter un nouveau costume ! Celui-ci n'a que vingt ans, après tout ! Elle

prétendre :
dire, affirmer.

prétend que je ressemble à un clochard dans ces vêtements, mais j'aimerais bien qu'on me prenne pour un clochard justement ! Au moins, on me donnerait une pièce de temps en temps ! *(Il s'arrête au milieu de l'écran.)* Bon ! Il faut que je compte à combien s'élève ma fortune… *(Il se penche et creuse le sol.*

côté jardin :
à gauche de la scène.

Pendant ce temps, le voleur apparaît, côté jardin, dans un coin, et écoute, immobile.) Avec ce que j'ajoute aujourd'hui… ça fait tout juste cinquante millions. Il faut que j'arrive à économiser plus pour atteindre vite les cinquante et un millions ! Seulement c'est difficile avec une femme qui veut quand même faire un repas par jour… *(Il se redresse et le voleur disparaît au même moment.)* Enfin ! J'ai eu l'intelligence d'enterrer mon coffre dans un endroit désert et loin de la maison… Comme ça, je n'ai aucun risque de tentation quand les gendarmes viennent réclamer le montant des factures impayées ! *(Il s'agite à nouveau.)* Ils m'inquiètent parfois car ils menacent de me jeter en prison ! Heureusement, je leur fais pitié avec mon allure… Mais, j'y pense ! J'ai oublié le billet que j'avais caché dans la cheminée !

Jan Grevenbroich
(1731-1807), aquarelle.

Nous sommes en été, mais il peut venir à l'idée de ma femme d'allumer un feu. Elle est si dépensière ! Il faut que je retourne tout de suite chez moi… *(Il se retourne et sort de l'écran à toutes jambes, côté cour.)*

Le voleur revient dès que l'avare est parti, et s'avance cette fois jusqu'au milieu de l'écran.

Le voleur – Moi qui n'ai rien pour vivre… Depuis le temps que je vois cet avare venir chaque jour amasser son argent en cachette, je ne peux plus résister ! *(Il se penche, extrait le coffre du sol, et s'enfuit.)*

L'avare revient alors en courant.

L'avare – Voilà ! Je vais aussi protéger ce billet-là ! *(Il s'arrête au même endroit que précédemment, se penche et fouille le sol.)* Oh, non ! C'est épouvantable ! *(Il se redresse et crie dans tous les sens.)* Au secours ! Au voleur ! À l'aide !

Le passant apparaît, côté jardin, attiré par les cris.

Le passant – Qu'est-ce qui vous arrive, mon brave !

L'avare – On m'a volé tout mon argent ! C'est abominable !

Le passant – Quelqu'un vous a arraché votre portefeuille ?

L'avare – Mais non ! C'est beaucoup plus terrible ! C'est tout mon trésor qui m'a été arraché !

Le passant – Vous n'avez pourtant pas l'air d'un homme fortuné… Où était donc votre « trésor » ?

L'avare – Ici même ! Dans ce trou !

Le passant – Oh ! Ce n'était pas très prudent…

extraire :
prendre, enlever.

précédemment :
avant.

Combien aviez-vous d'argent ?

L'avare – Cinquante millions…

Le passant – Mais c'est considérable ! Et vous ressemblez à un mendiant… Pourquoi ne viviez-vous pas mieux avec une fortune pareille ?

L'avare – Pour ne pas la faire diminuer !

Le passant – Alors, vous n'y touchiez jamais ?

L'avare – Bien sûr que non !

Le passant – Mais vous faisiez peut-être de beaux projets avec ?

L'avare – Pas du tout !

Le passant – Vous deviez tout laisser à vos enfants ?

L'avare – Je n'ai jamais voulu d'enfants. C'est trop de dépenses !

Le passant *en colère* – Eh bien, alors, puisque votre argent ne vous servait absolument à rien, que vous l'ayez encore ou non ne fait aucune différence ! De quoi vous plaignez-vous ? *(Il sort rapidement.)*

L'avare *en sortant lentement* – La différence, c'est que je ne peux plus le regarder…

c'est considérable :
c'est beaucoup.

▼ Repère tous les détails qui montrent que l'avare
ne veut vraiment rien dépenser.
▼ Que penses-tu des deux autres personnages ?
▼ D'après cette pièce, quelle est la définition d'un avare ?
▼ Que penses-tu de la dernière réplique de l'avare ?

Topaze

Marcel Pagnol, *Topaze*, Éditions Bernard de Fallois.

Topaze est professeur. Ses élèves sont assez agités. L'un d'eux, par exemple, a apporté une boîte à musique. Topaze fait ici une « leçon de morale » : c'est ce qui correspond aujourd'hui à l'éducation civique.

Acte I, scène 12 (extrait)

ne pas broncher :
ne rien dire.

(On entend chanter la musique. Topaze ne bronche pas.)

Topaze

Prenons des exemples dans la réalité quotidienne. Voyons.

(Il cherche un nom sur son carnet.)

Élève Tronche-Bobine…

(L'élève Tronche-Bobine se lève, il est emmitouflé de cache-nez ; il a des bas à grosses côtes, et un sweater de laine sous sa blouse.)

Pour réussir dans la vie, c'est-à-dire pour y occuper une situation qui corresponde à votre mérite, que faut-il faire ?

L'élève Tronche *réfléchit fortement.*

Il faut faire attention.

Topaze

Si vous voulez. Il faut faire… attention à quoi ?

décisif :
sûr de lui.

L'élève Tronche, *décisif.*

Aux courants d'air.

Toute la classe rit.

Topaze, *il frappe à petits coups rapides sur son bureau pour rétablir le silence.*

Affiche de la
représentation,
au théâtre,
de *Topaze*, 1928.

Élève Tronche, ce que vous dites n'est pas entière-
ment absurde, puisque vous répétez un conseil que
vous a donné madame votre mère, mais vous ne
touchez pas au fond même de la question. Pour
réussir dans la vie, il faut être… Il faut être ?…

absurde :
qui n'a pas de sens.

(L'élève Tronche sue horriblement, plusieurs élèves lèvent le doigt pour répondre en disant « M'sieur... M'sieur... ». Topaze repousse ces avances.)

Laissez répondre celui que j'interroge. Élève Tronche, votre dernière note fut un zéro. Essayez de l'améliorer... Il faut être ho... ho...

Toute la classe attend la réponse de l'élève Tronche. Topaze se penche vers lui.

L'élève Tronche, *perdu.*

Horrible !

Éclat de rire général accompagné d'une ritournelle de boîte à musique.

Topaze, *découragé.*

Zéro, asseyez-vous.

(Il inscrit le zéro.)

Il faut être *honnête*. Et nous allons vous en donner quelques exemples décisifs. D'abord toute entreprise malhonnête est vouée par avance à un échec certain.

(Musique. Topaze ne bronche pas.)

perdu :
qui ne sait plus quoi dire.

une ritournelle :
une chanson ou une musique qui se répète.

décisif :
évident.

▼ Quelle leçon Topaze veut-il faire ? Que veut-il expliquer ?
▼ Que penses-tu de la première réponse de l'élève Tronche ?
Et de sa deuxième réponse ?

Le voyage de Monsieur Perrichon

Eugène Labiche, *Le Voyage de Monsieur Perrichon.*

Scène 2 (extrait)
L'employé, Perrichon,
Madame Perrichon, Henriette

Ils entrent par la droite.

Perrichon – Par ici !… ne nous quittons pas ! nous ne pourrions plus nous retrouver… Où sont nos bagages ?… *(Regardant à droite ; à la cantonade.)* Ah ! très bien ! Qui est-ce qui a les parapluies ?…

à la cantonade : *en parlant à tout le monde.*

Henriette – Moi, papa.

Perrichon – Et le sac de nuit ?… les manteaux ?…

Madame Perrichon – Les voici !

Perrichon – Et mon panama ?… Il est resté dans le fiacre ! *(Faisant un mouvement pour sortir et s'arrêtant.)* Ah ! non ! je l'ai à la main !… Dieu, que j'ai chaud !

un panama : *un chapeau de paille.*

un fiacre : *une voiture à cheval.*

Madame Perrichon – C'est ta faute !… tu nous presses, tu nous bouscules !… je n'aime pas à voyager comme ça !

Perrichon – C'est le départ qui est laborieux… une fois que nous serons casés !… Restez là, je vais prendre les billets… *(Donnant son chapeau à Henriette.)*

laborieux : *difficile.*

Tiens, garde-moi mon panama... *(Au guichet.)* Trois premières pour Lyon !...

L'employé, *brusquement.* – Ce n'est pas ouvert ! Dans un quart d'heure !

Perrichon, *à l'employé.* – Ah ! pardon ! c'est la pre-

une première :
·····························
un billet de première classe.

Le Voyage de Monsieur Perrichon à la Comédie-Française, avec Yvonne Gaudeau et Jean Le Poulain, 1982.

mière fois que je voyage… *(Revenant à sa femme.)* Nous sommes en avance.

Madame Perrichon – Là ! quand je te disais que nous avions le temps… Tu ne nous as pas laissées déjeuner !

Perrichon – Il vaut mieux être en avance !… on examine la gare ! *(À Henriette.)* Eh bien, petite fille, es-tu contente ?… Nous voilà partis !… encore quelques minutes et, rapides comme la flèche de Guillaume Tell, nous nous élancerons vers les Alpes ! *(À sa femme.)* Tu as pris la lorgnette ?

Madame Perrichon – Mais oui !

Henriette, *à son père.* – Sans reproches, voilà au moins deux ans que tu nous promets ce voyage.

Guillaume Tell :

héros suisse qui fut obligé de tirer une flèche dans une pomme placée sur la tête de son fils.

une lorgnette :

un instrument qui permet de voir au loin.

▼ Que se passe-t-il dans cette scène ?
▼ Quel est le caractère de Monsieur Perrichon ?
Explique ta réponse.
▼ T'es-tu déjà trouvé(e) dans une même situation ?
Raconte.

Le malade imaginaire

Molière, *Le Malade imaginaire*.

Cette scène se passe à l'époque de Louis XIV au XVIIe siècle. Argan est sûr qu'il est très malade. En fait, il ne l'est pas. Mais il ne parle que de médicaments et de médecins, et toute sa famille en a assez. Toinette est l'une de ses servantes. Pour lui jouer un tour, elle se déguise un jour en médecin.

Acte III, scène 10 (extrait)

Toinette – Qui est votre médecin ?

Argan – Monsieur Purgon.

Toinette – Cet homme-là n'est point écrit sur mes tablettes entre les grands médecins. De quoi dit-il que vous êtes malade ?

Argan – Il dit que c'est du foie, et d'autres disent que c'est de la rate.

Toinette – Ce sont tous des ignorants. C'est du poumon que vous êtes malade.

Argan – Du poumon ?

Toinette – Oui. Que sentez-vous ?

Argan – Je sens de temps en temps des douleurs de tête.

Toinette – Justement, le poumon.

Argan – Il me semble parfois que j'ai un voile devant les yeux.

Toinette – Le poumon.

Argan – J'ai quelquefois des maux de cœur.

il n'est point écrit sur mes tablettes : *je ne le connais pas.*

la rate : *organe qui se trouve à côté de l'estomac.*

Toinette – Le poumon.

Argan – Je sens parfois des lassitudes par tous les membres.

des lassitudes :
de la fatigue.

Toinette – Le poumon.

Argan – Et quelquefois il me prend des douleurs dans le ventre, comme si c'étaient des coliques.

Toinette – Le poumon. Vous avez appétit à ce que vous mangez ?

Argan – Oui, monsieur.

Toinette – Le poumon. Vous aimez à boire un peu de vin ?

Argan – Oui, monsieur.

Toinette – Le poumon. Il vous prend un petit sommeil après le repas, et vous êtes bien aise de dormir ?

Argan – Oui, monsieur.

Toinette – Le poumon, le poumon, vous dis-je. Que vous ordonne votre médecin pour votre nourriture ?

Argan – Il m'ordonne du potage.

Toinette – Ignorant !

Argan – De la volaille.

Toinette – Ignorant !

Argan – Du veau.

Toinette – Ignorant !

Argan – Des bouillons.

Toinette – Ignorant !

Argan – Des œufs frais.

Molière : détail du tableau *Farceurs français et italiens de la comédie française*, 1670.

Toinette – Ignorant !

Argan – Et, le soir, de petits pruneaux pour lâcher le ventre.

Toinette – Ignorant !

du vin trempé :
du vin avec de l'eau.

Argan – Et surtout de boire mon vin fort trempé.

Toinette – Ignorantus, ignoranta, ignorantum !

Argan dans *Le Malade imaginaire*, lithographie du XIXe siècle.

▼ Est-ce que Toinette interroge comme un vrai médecin ?
Explique ta réponse.
▼ Est-ce qu'Argan est vraiment malade du poumon ?
▼ Quels sont les mots qui reviennent tout le temps ? Pourquoi ?

Au marché

Eugène Ionesco, *Exercices de conversation et de diction françaises pour etudiants américains*, Gallimard.

Personnages

Marie-Jeanne, Thomas,
le boulanger, le boucher,
le charcutier, le pharmacien, le melon

Marie-Jeanne – Enfin, te voilà ! Je m'impatientais. Pourquoi viens-tu si tard du marché, où as-tu traîné ?

Thomas – Je n'ai pas traîné. Voici ce qui m'est arrivé. J'arrive chez le boulanger, je lui dis : « Bonjour, monsieur le boulanger. Je voudrais trois côtes d'agneau, une entrecôte, une escalope de veau, un morceau de bœuf bouilli. »

Le boulanger – Vous vous trompez, monsieur (madame), la viande ne s'achète pas chez le boulanger, mais chez le boucher. C'est au bout de la rue. Vous pouvez prendre le métro.

Thomas – Non, j'aime mieux me promener. Bonjour, monsieur le boucher, je voudrais pour 44 francs de jambon et 32 livres de lard fumé.

Le boucher – Je n'en vends pas. La viande de porc s'achète chez le charcutier.

Thomas – Bonjour, monsieur le charcutier. Puis-je avoir un kilo de sucre, trois grammes de sel, du pain d'épice ?

Le charcutier – Monsieur, si je ne m'abuse on vous a mal dirigé. Toutes ces denrées se trouvent chez l'épicier.

Thomas – Bonjour, monsieur l'épicier, avez-vous des cachets d'aspirine ?

Le pharmacien – Oui, j'en ai.

Thomas – Vous me surprenez ! Cela m'étonne.

Le pharmacien – C'est tout à fait normal, je ne suis pas épicier, je suis pharmacien.

Thomas – Alors, monsieur, vous allez pouvoir me renseigner : où se vendent ou où s'achètent les melons ?

Le pharmacien – Les melons s'achètent ou se vendent chez le chapelier.

Le melon – Attention ! Je me vends chez le chapelier quand je suis en cuir, en feutre ou en paille. Quand je suis légume, je m'achète chez le marchand de fruits.

Thomas – Et comment vous mange-t-on ?

Le melon – Je me mange avec du sucre.

▼ Qu'est-ce qui se passe dans cette courte pièce ?
▼ Repère tous les détails bizarres de cette histoire.
▼ À ton avis, pourquoi Thomas fait-il tout cela ?

PARFUMERIE SEGUIN

3, Rue Huguerie, Bordeaux.

Affiche publicitaire, XXᵉ siècle.

Les poésies

Il pleut

Gilbert Trolliet, in Michel Cosem, *Au pays des mille mots*, Milan.

On dirait bien
qu'il pleut.

Mais le temps de le dire
le temps de me le dire
et de savoir comment
je vais le dire
la dernière
goutte
tombe.

Et tout
comme toujours
est à recommencer.

Paul Sérusier, *L'Averse*, 1893.

Nuages

Georges Jean, *Écrit sur la page*, Gallimard.

Nuages,
Visages,
Du vent.

Nuages,
Rivages,
Mouvants.

Nuages,
Mirages,
Vivants.

Nuages,
La plage,
Printemps.

Nuages,
Je nage,
Dedans.

Eugène Boudin, *La Plage de Tourgeville-les-Sablons*, 1893.

Psshhhiiii !...

Alain Serres, *Rue de la poésie*, La Farandole.

Psshhhiiii !
L'autobus ouvre sa porte
pour que tout le monde sorte.
Psshhhiiii !
Personne n'est descendu
l'autobus continue.

Camille Pissarro, *Place du Théâtre français*, 1898.

Étourdi

Michel Monnereau, *Poèmes en herbe*, Milan.

L'océan s'en va,
l'océan revient :
il a dû oublier
quelque chose sur le sable.

Georges Lacombe,
Marine bleue, effet de vagues, vers 1895.

Comptine pour monter un escalier…

Jean-Luc Moreau, *Poèmes de la Souris verte*, Hachette Jeunesse.

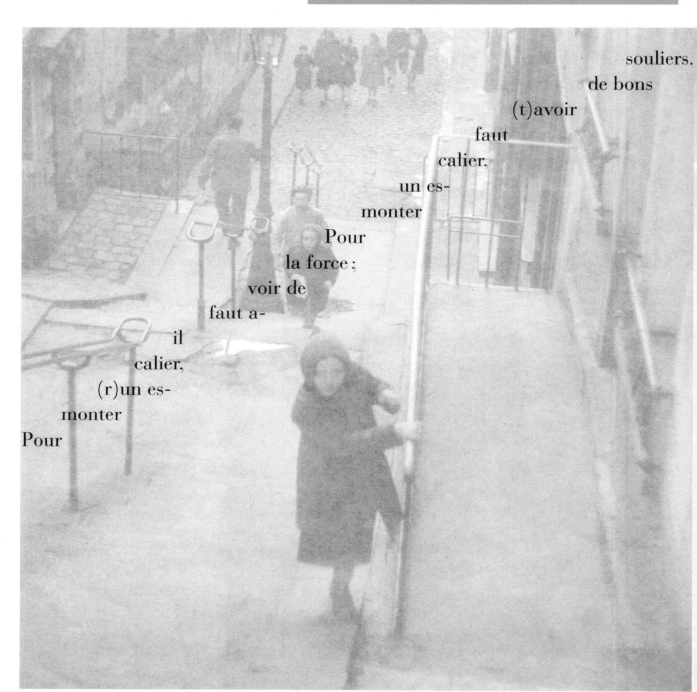

souliers.
de bons
(t)avoir
faut
calier,
un es-
monter
Pour
la force ;
voir de
faut a-
il
calier,
(r)un es-
monter
Pour

E. Boubat, Montmartre, 1952.

...Et pour le redescendre

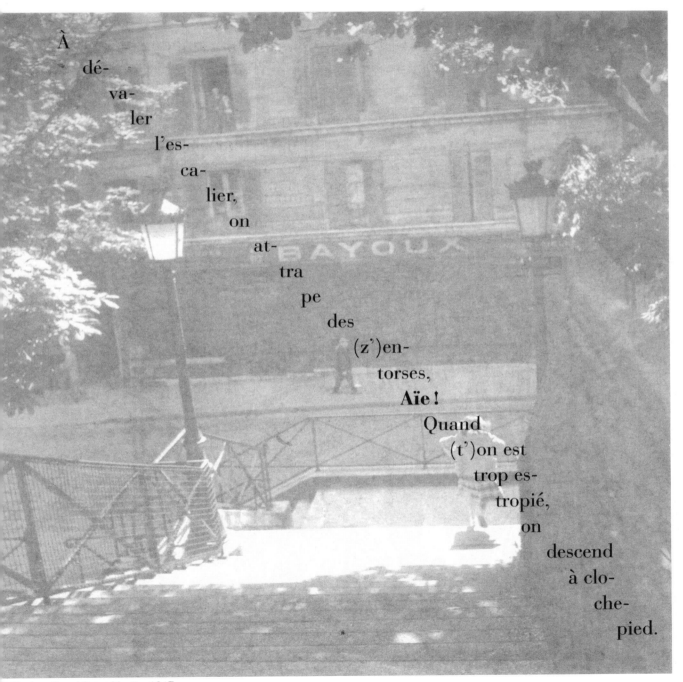

À
  dé-
    va-
      ler
        l'es-
          ca-
            lier,
              on
                at-
                  tra
                    pe
                      des
                        (z')en-
                          torses,
                            Aïe !
                              Quand
                                (t')on est
                                  trop es-
                                    tropié,
                                      on
                                        descend
                                          à clo-
                                            che-
                                              pied.

C. Boubat, Canal Saint-Martin, 1947.

Le dos
du dro
du dromadaire

Jean-Pierre Andrevon, *Chères Bêtes*,
Gallimard.

Voyez dit le chameau
j'ai deux bosses
sur le dos

Moi dit le dromadaire
il m'en man
il m'en man
il m'en man
il m'en manque une
c'est clair
pour faire
la paire

Raoul Dufy, *Le Dromadaire*, illustration, 1919.

J'ai ouvert la cage...

Hubert Mingarelli,
Le Secret du funambule, Milan.

J'ai ouvert la cage
en pensant
il ne partira pas
parce qu'il est bien ici

En plus
j'ai posé la cage
sur le bord de la fenêtre
à côté du soleil
il y avait un peu de vent
aussi
et la porte de la cage
s'ouvrait et se refermait

Je ne l'ai pas vu
s'envoler
je l'ai vu
sur la branche du tilleul
devant la maison
et comme il y avait du vent
les feuilles de l'arbre
le cachaient par moments

Max Ernst, *Sanctuaire*, collage sur bois, 1965.

Peut-être
qu'il n'était pas assez bien
ou peut-être
qu'il ne savait pas
je ne sais pas

Ce soir
j'irai poser la cage
au pied du tilleul

Le loup vexé

Claude Roy, *Enfantasques*, Gallimard.

Un loup sous la pluie,
sous la pluie qui mouille,
loup sans parapluie,
pauvre loup gribouille.

Est-ce qu'un loup nage ?
Entre chien et loup,
sous l'averse en rage,
un hurluberloup ?

Le loup est vexé
parce qu'on prétend
que par mauvais temps
un loup sous la pluie
sent le chien mouillé.

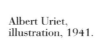

Albert Uriet,
illustration, 1941.

Les yeux du chat

Pierre Gabriel, in Michel Cosem,
Au pays des mille mots, Milan.

Regarde bien les yeux du chat.
Il rêve, il fait semblant, il dort
Tout éveillé. Pourtant c'est toi
C'est bien toi qu'il épie.

Mais plonge tes yeux dans les siens
Ne les laisse pas t'échapper.
Très lentement, tu vas glisser
Dans l'eau dorée de ce regard,
Glisser sans fin jusqu'à
T'anéantir dans son immensité.

Regarde bien les yeux du chat.
Bientôt tu seras devenu,
Sans le savoir, le chat lui-même,
Les yeux du chat qui te regarde.

Steinlen,
Le Chat noir,
1898.

Complainte du petit cheval blanc

Paul Fort, *Ballades françaises*, Flammarion.

Le petit cheval dans le mauvais temps,
qu'il avait donc du courage !
C'était un petit cheval blanc,
tous derrière et lui devant.
Il n'y avait jamais de beau temps
dans ce pauvre paysage.
Il n'y avait jamais de printemps,
ni derrière ni devant.
Mais toujours il était content,
menant les gars du village
à travers la pluie noire des champs,
tous derrière et lui devant.
Sa voiture allait poursuivant
sa belle petite queue sauvage.
C'est alors qu'il était content,
eux derrière et lui devant.
Mais un jour, dans le mauvais temps,
un jour qu'il était si sage,
il est mort par un éclair blanc,
tous derrière et lui devant.
Il est mort sans voir le beau temps,
qu'il avait donc du courage !
Il est mort sans voir le printemps
ni derrière ni devant.

Franz Marc, *Cheval bleu I*,
1911.

Tenture Fon, Bénin (Dahomey), 1963.

Le lion

Roald Dahl, *Sales Bêtes*, Gallimard.

Le lion, on le sait, de viande est friand.
Rien n'est pour lui plus alléchant.
Demandez donc au roi des animaux,
Quel est pour lui le plus tendre morceau.
Ce n'est pas le gigot d'agneau,
La bavette, le bœuf marengo.
Ce n'est pas le petit cochon,
Ni le ragoût de mouton.
Mais peut-être voudra-t-il d'une grosse poule
     bien dodue ?
Non vraiment, non merci. Que veut-il, le têtu ?
« Lion, je suis ton ami : es-tu en appétit,
Et d'un excellent steak ne serais-tu ravi ?
Un pâté en croûte ou un lièvre à la bière,
Te feraient-ils enfin sortir de ta tanière ? »
Avec un fin sourire il hocha la tête,
Et s'approchant de moi tout bas il déclara :
« Le plus tendre morceau n'est rien de tout cela.
Ne te creuse plus la tête : mon déjeuner,
     c'est TOI ! »

Îles

Blaise Cendrars, *Feuillets de route*, Denoël.

Îles
Îles
Îles où l'on ne prendra jamais terre
Îles où l'on ne descendra jamais
Îles couvertes de végétations
Îles tapies comme des jaguars
Îles muettes
Îles immobiles
Îles inoubliables et sans nom
Je lance mes chaussures par-dessus bord
   [car je voudrais bien aller jusqu'à vous.

Henri-Edmond Cross.
Les Îles d'or.
1891-1892.

C. A. Lebschee, *Clair de lune sur le lac de Starnberg*, 1840.

Conseils donnés par une sorcière

Jean Tardieu, *Monsieur Monsieur*, Gallimard.

(À voix basse, avec un air épouvanté, à l'oreille du lecteur.)

Retenez-vous de rire
dans le petit matin !

N'écoutez pas les arbres
qui gardent les chemins !

Ne dites votre nom
à la terre endormie
qu'après minuit sonné !

À la neige, à la pluie
ne tendez pas la main !

N'ouvrez votre fenêtre
qu'aux petites planètes
que vous connaissez bien !

Confidence pour confidence :
vous qui venez me consulter,
méfiance, méfiance !
On ne sait pas ce qui peut arriver.

Chanson pour les enfants l'hiver

Jacques Prévert, *Histoires*, Gallimard.

Dans la nuit de l'hiver
galope un grand homme blanc
galope un grand homme blanc

C'est un bonhomme de neige
avec une pipe en bois
un grand bonhomme de neige
poursuivi par le froid

Il arrive au village
il arrive au village
voyant de la lumière
le voilà rassuré

Dans une petite maison
il entre sans frapper
Dans une petite maison
il entre sans frapper
et pour se réchauffer
et pour se réchauffer
s'asseoit sur le poêle rouge
et d'un coup disparaît
ne laissant que sa pipe
au milieu d'une flaque d'eau
ne laissant que sa pipe
et puis son vieux chapeau…

Eberhardt Hückstädt,
Hiver, 1936.

Georges Braque (1882-1963), *Plafond : les oiseaux.*

Un bœuf gris de la Chine…

Jules Supervielle, *Le Forçat innocent*, Gallimard.

Un bœuf gris de la Chine,
Couché dans son étable,
Allonge son échine
Et dans le même instant
Un bœuf de l'Uruguay
Se retourne pour voir
Si quelqu'un a bougé.

Vole sur l'un et l'autre
À travers jour et nuit
L'oiseau qui fait sans bruit
Le tour de la planète
Et jamais ne la touche
Et jamais ne s'arrête.

Kermesse

Kurt Baumann. *En haut du chemin s'asseoit un lutin*. Nord-Sud.

Une fillette appelée Nelle
Rêvait un jour sous la tonnelle
En attendant son déjeuner,
Oubliée par le monde entier.

Vient à passer un ballon bleu
De la couleur de ses beaux yeux.
Elle court, attrape la ficelle
Et tous deux s'envolent dans le ciel.

Ils arrivent à une kermesse,
Cent lieues plus loin, où on se presse,
Casquettes, gibus, c'est fantastique,
Au son d'un orgue mécanique.

Elle se laisse doucement descendre
Près du cirque, sur l'herbe tendre
Où tourne, tourne un vieux manège.
Les enfants lui font un cortège.

« Petit cheval, mon compagnon,
Ne tourne pas si vite en rond.
La tête me tourne encore plus vite,
Plus vite que la faim qui m'habite. »

Ensemble, ils ont tellement tourné
Que le cheval s'est détaché
Pour galoper vers la maison,
Manger la soupe qui sentait bon.

Izis, *Jardin des Tuileries, Paris*, 1951.

Le monde
à l'envers

Lucie Spède, in Jacques Charpentreau,
Je pars en nuage : des songes et des rêves,
Les Éditions de l'Atelier.

Marc Chagall, *Le Cirque*, 1927.

Un jour où je dormais les yeux ouverts,
j'ai rêvé qu'après un grand tremblement de mer
le monde entier fonctionnait à l'envers.
Les Esquimaux se retrouvèrent en paréos
et les Hawaïens dans des igloos,
les libellules rampaient comme des limaces,
les tortues fendaient l'air de leur carapace,
les escargots filaient à toutes pattes
et les zèbres pesants laissaient passer les mille-pattes.
Les poissons perchaient dans les bois,
les oiseaux nageant chantaient sous l'eau à pleine voix.
Les crabes marchaient droit, les arbres plantaient
leurs racines dans l'espace, les nuages se roulaient
dans la mer et les vagues bruissaient blanches dans le ciel.
Et moi je marchais à travers tout cela,
la tête en bas, et tout émerveillée
je souriais de tous mes orteils.

Grand standigne

Raymond Queneau, *Courir les rues*, Gallimard.

Un jour on démolira
ces beaux immeubles
    [si modernes
on en cassera les carreaux
de plexiglas ou d'ultravitre
on démontera les fourneaux
construits à polytechnique
on sectionnera les antennes

collectives de tévision
on dévissera les ascenseurs
on anéantira les vide-ordures
on broiera les chauffoses
on pulvérisera les frigidons
quand ces immeubles vieilliront
du poids infini de la tristesse
    [des choses

René Magritte, 1961.

Caspar Friedrich,
Le Promeneur au-dessus de la mer de brouillard,
vers 1818.

Demain, dès l'aube…

Victor Hugo, *Les Contemplations.*

Demain, dès l'aube, à l'heure où blanchit la campagne
Je partirai. Vois-tu, je sais que tu m'attends.
J'irai par la forêt, j'irai par la montagne.
Je ne puis demeurer loin de toi plus longtemps.

Je marcherai les yeux fixés sur mes pensées,
Sans rien voir au dehors, sans entendre aucun bruit,
Seul, inconnu, le dos courbé, les mains croisées,
Triste, et le jour pour moi sera comme la nuit.

Je ne regarderai ni l'or du soir qui tombe,
Ni les voiles au loin descendant vers Harfleur,
Et quand j'arriverai, je mettrai sur ta tombe
Un bouquet de houx vert et de bruyère en fleur.

La peinture et les peintres

Jordane et Aurélie, in *Picasso et nous*, Association l'Atelier.

Joan Miró, *Escargot-Femme-Fleur-Étoile*, 1934.

La peinture de Miro
Ce n'est pas du Picasso.
Léonard de Vinci
Qui peignait très bien assis,
N'a pas peint la Joconde
En quelques secondes.
Quand Miro peignait des étoiles
Picasso était sur son bateau à voiles.
Quand Michel-Ange
Peignait des anges,
Raphaël
Voyait trente-six chandelles.
Nous savons bien que nous changeons d'époque,
Que le nouveau est un peu loufoque.
Comme nous ne trouvons plus de rimes
Ce poème se termine,
Mais notre admiration des tableaux de Picasso
Et les fantaisies de Miro
Restent accrochées au bout de nos pinceaux.

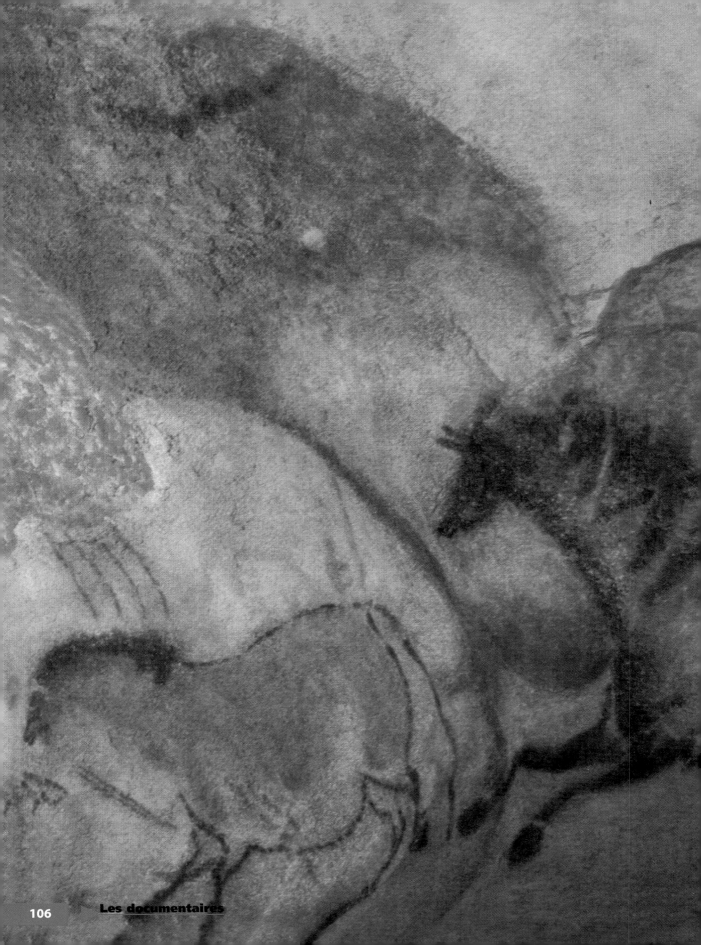

Les documentaires

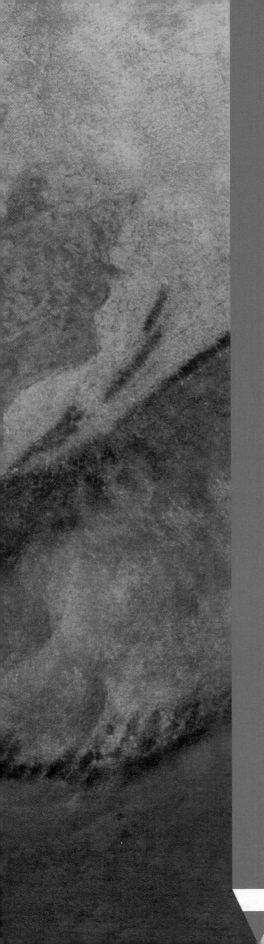

Les documentaires

Le cycle de l'eau

François-Michel Gonnot, *L'Écologie racontée aux enfants*, Delville.

fabuleux :
extraordinaire.

Avant d'arriver chez nous, l'eau vit une fabuleuse aventure. L'eau prend naissance dans la montagne. L'hiver est une saison importante car plus il y a de neige, plus il y aura d'eau dans les rivières au printemps. Quand la neige fond, elle se transforme en eau. On la retrouve dans les ruisseaux, les fleuves et dans les nappes souterraines que l'on appelle nappes phréatiques.

Ces nappes sont très souvent menacées. Lorsqu'ils se décomposent, les déchets, en effet, se transforment en liquides qui s'infiltrent dans le sol et polluent les nappes souterraines.

un écosystème :
ensemble des animaux et des plantes qui vivent dans le même milieu et dépendent les uns des autres.

L'abattage des forêts peut également mettre les nappes d'eau en danger. Les arbres permettent à l'eau de pluie de pénétrer dans le sol et de reconstituer les réserves. Quand il n'y a plus d'arbres, l'eau ruisselle et s'évapore. Ce cycle nous montre la nécessité absolue de respecter les écosystèmes.

▼ Que devient la neige qui recouvre les montagnes ?
▼ Pourquoi a-t-on besoin de beaucoup de neige ?
▼ Qu'est-ce qui peut polluer les nappes d'eau souterraines ? Comment ?
▼ Pourquoi l'abattage des forêts est-il dangereux pour les nappes d'eau ?

Edvard Munch. *Allée sous une tempête de neige.* 1906.

L'histoire de la feuille de papier

Odile Limousin, *L'Histoire de la feuille de papier*, Gallimard.

Sais-tu que le plus ancien fabricant de papier est une guêpe ?

une fibre :

une sorte de fil, un filament.

rigide :

dur.

broyer :

écraser.

Son nid est construit tout en carton. Elle arrache des fibres de bambou qu'elle ramollit avec sa salive pour en fabriquer une bouillie. En séchant, celle-ci forme des cloisons très rigides. On raconte qu'un Chinois, Tsaï-Lun, inventa le papier en observant les guêpes. En broyant des morceaux de bambous et de mûriers, il obtint une pâte liquide. Il la filtra et la laissa sécher. **Ainsi naquit la première feuille de papier.** Cela se passait en Chine, en l'an 105 après Jésus-Christ.

▼ Dans quel pays a-t-on inventé le papier ? À quelle époque ?
▼ Qu'est-ce qui a donné à Tsaï-Lun l'idée du papier ?
▼ Avec quoi Tsaï-Lun a-t-il fabriqué la première feuille de papier ?

Wen Boren (1502-1575), rouleau chinois horizontal peint à l'encre : *Pêcheurs sur un lac de lotus.*

Peinture à l'encre sur papier, rouleau chinois à suspendre, 1694.

La toile d'araignée

Les Animaux des champs et des jardins. Nathan.

Pourquoi l'araignée
construit-elle une toile ?

Si tu es attentif et patient… comme l'araignée, observe sa toile. Tu n'attendras sans doute pas longtemps : un petit moucheron va venir se prendre dans ce piège. L'araignée a trouvé là un bon moyen pour attraper ses proies. Dès qu'un insecte touche la toile, il se colle aux fils. En essayant de se dégager, il avertit l'araignée. Comme un funambule sur son fil, elle se précipite vers lui et le pique. Son venin le paralyse. Elle déguste aussitôt sa victime ou la garde pour plus tard. La toile de l'araignée est une arme redoutable, parce que les insectes ne la voient pas.

un funambule :
une personne qui marche sur un fil.

un venin :
un liquide qui empoisonne.

Comment l'araignée
fait-elle pour la tisser ?

un architecte :
une personne qui dessine les plans d'une maison.

Comme un architecte, l'araignée repère le meilleur endroit pour construire sa toile. Des branches, des tiges, des herbes. Puis, comme une véritable usine à soie, elle fabrique elle-même, avec une sorte de bave, les différents fils dont elle a besoin. Elle a au bout des pattes plusieurs outils, des griffes pour couper, des peignes pour étirer la toile. Comme un ouvrier, elle travaille suivant un plan bien précis. Elle tend d'abord un fil, puis elle fait un cadre, des rayons, et enfin une spirale. C'est là qu'elle s'installera pour attendre ses proies.

Paolo Véronèse, *Industria*, peinture murale, 1575-1578.

▼ Pourquoi l'araignée construit-elle sa toile ?
▼ Avec quoi l'araignée fabrique-t-elle sa toile ?
▼ Comment s'y prend-elle ?
▼ Que fait l'araignée quand un insecte est pris dans la toile ?

Le castor

Susanne Riha, *Nous ne dormons pas la nuit*, Milan.

Le soir tombe sur le fleuve : comme chaque nuit, le castor va travailler à l'entretien de sa hutte.

Il a plu toute la journée et le « toit » est abîmé. Pour le réparer, le castor ramasse ou coupe des branches sur la rive et les emporte en nageant jusqu'à son abri, aménagé sur un petit îlot au milieu de la rivière. Une entrée sous l'eau lui permet d'accéder à la chambre.

Puis le castor va inspecter le barrage, car la pluie a fait monter le niveau de l'eau et la hutte risque d'être inondée. Que de travail pour construire ce barrage ! Deux nuits entières pour abattre un arbre en le rongeant, arracher les branches et traîner le tronc dans l'eau. Puis il a fallu fixer le tronc à l'endroit le plus étroit de la rivière et renforcer le barrage avec des branches, des pierres et de la boue.

Le castor dégage une bouche d'écoulement pour laisser passer davantage d'eau : il veille à ce que le barrage maintienne le niveau de l'eau quelques centimètres au-dessous du plancher de sa hutte.

Le jour se lève : il est temps d'aller dormir. Le castor plonge une dernière fois et regagne son abri. Bien au sec, il s'endort paisiblement.

accéder à :
arriver jusqu'à.

inspecter :
regarder attentivement, vérifier.

une bouche d'écoulement :
un trou pour faire baisser l'eau.

Taille : *80 à 120 cm.*

Poids : *de 12,5 à 35 kg.*

Nourriture : *plantes aquatiques, racines, jeunes branches,*
écorce des arbres abattus (saules, peupliers, frênes, bouleaux).

Durée de vie : *jusqu'à 30 ans.*

Ouvrage allemand de zoologie,
Castor, 1885.

▼ Comment s'appelle la maison du castor ?
▼ Peux-tu voir un castor pendant la journée ? Explique ta réponse.
▼ Où le castor construit-il sa hutte ? Avec quoi ?
▼ À quoi sert le barrage ? Avec quoi est-il fait ?

Le chameau…

Andrea et Michael Bischhoff-Miersch,
Ressemblances et différences, Éditions Nord-Sud.

Le terme de « chameau » est trompeur car il a deux sens. Il désigne non seulement l'animal à deux bosses que tu connais bien, mais aussi tout un groupe de ruminants dont font aussi partie les lamas, les alpagas… et les dromadaires.

Le « dromadaire » est donc en fait un chameau d'Arabie à une bosse, tandis que le « chameau » tout court est un chameau d'Asie à deux bosses. C'est dans ce sens que le mot est le plus souvent utilisé. Le chameau est un peu plus petit et plus lourd que le dromadaire. Son poil foncé, allongé par endroits, est aussi plus épais pour lui permettre d'affronter le froid et la neige. Mais tous deux n'en sont pas moins des parents proches. Le chameau a une fourrure laineuse aux poils soyeux. On tisse le poil des chameaux en étoffes chaudes et imperméables dont les nomades font des tentes, des couvertures et des vêtements.

un ruminant :
un animal qui mâche une deuxième fois l'herbe qu'il vient d'avaler.

un nomade :
une personne qui n'habite pas toujours au même endroit, qui se déplace.

Histoire naturelle des mammifères, 1886.

... et le dromadaire

Le dromadaire n'a qu'une bosse. Il est plus élancé et plus haut sur pattes que le chameau, son pelage est plus clair et plus court. Sa bosse n'est pas remplie d'eau mais de graisse. Elle lui permet de se passer très longtemps de nourriture et disparaît presque complètement s'il est très maigre. Le dromadaire vit en Afrique du Nord et en Asie du Sud-Ouest, domestiqué par l'homme depuis plus de 4 000 ans. C'est une excellente monture, robuste et très sobre, qui peut marcher des semaines entières dans le désert sans manger ni boire. Personne ne résiste aussi bien à la soif. L'homme meurt s'il perd plus de 10 % de son poids en liquide. Le dromadaire peut en perdre jusqu'à 40 %, soit presque la moitié. Il peut boire ensuite cette énorme quantité d'eau d'un seul coup.
Les narines du dromadaire peuvent se fermer complètement pendant les tempêtes de sable. De lo
poils protègent aussi ses yeux et ses oreilles.

élancé :
grand et mince.

domestiqué :
habitué à l'homme.

une monture :
un animal sur lequel on monte pour se déplacer.

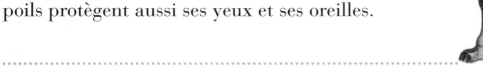

▼ Quels sont les deux sens du mot *chameau* ?
Lequel est le plus souvent utilisé ?
▼ Repère toutes les différences entre un chameau et un dromadaire :
endroits où on les trouve, taille, pelage, nombre de bosses, etc.

Les secrets
de notre galaxie

Le Ciel par-dessus nos têtes, « Les racines du savoir », Gallimard.

le système solaire :

l'ensemble des neuf planètes qui tournent autour du soleil.

La nuit, nous voyons une bande laiteuse qui traverse le ciel. C'est notre galaxie vue de l'intérieur, la **Voie lactée**. Une galaxie est un rassemblement de milliards d'étoiles. Notre galaxie en contient près de cent milliards ! Le système solaire se trouve dans l'un de ses bras, et très loin du centre, vers son bord. Toute la galaxie tourne lentement sur elle-même : il lui faut deux cent trente millions d'années pour faire un tour. Tout ce que nous voyons à l'œil nu dans le ciel appartient à notre galaxie, sauf trois taches, qui sont d'autres galaxies. Au-delà, l'univers est peuplé de milliards de galaxies qui rassemblent des milliards d'étoiles.

▼ Qu'est-ce qu'une galaxie ?
▼ Combien d'étoiles y a-t-il dans notre galaxie ?
▼ Comment s'appelle notre galaxie ? Pourquoi ?
▼ Combien y a-t-il de galaxies dans l'univers ?

Vincent Van Gogh, *La Nuit étoilée*, Arles, 1888.

L'alimentation
dans le monde

André Thévenin, *Mon Premier Livre sur la vie des peuples*, Épigones.

en guise de :
à la place de.

un mets :
un plat, de la nourriture préparée.

Regarde le menu d'un restaurant vietnamien : rouleaux de printemps, poulet aux pousses de bambou, porc à la sauce de soja, litchis ; voilà bien des plats mystérieux. Plus étrange encore, lorsque tu t'installes à table, en guise de couteau et de fourchette, on t'apporte deux fines baguettes… Regarde maintenant l'étalage d'une pâtisserie tunisienne : elle est pleine de gâteaux aux formes et aux couleurs inconnues. Si tu y goûtes, tu es surpris : c'est très sucré et très parfumé. Ainsi chaque pays a ses mets, ses façons de les préparer et de les manger. Qui ne connaît l'Italie et ses pâtes, l'Angleterre et son pudding, l'Allemagne et sa choucroute, l'Espagne et sa paella, le Maghreb et son couscous !

Chaque pays, chaque région semble avoir ainsi un plat préféré, et même ses saveurs préférées. Le Sud aime davantage la cuisine épicée qui pique la langue et le palais des hommes du Nord. Ailleurs, on ne craint pas de mélanger le salé et le sucré, ce qui donne parfois des unions bien curieuses. Ainsi, dans la Pampa d'Amérique du Sud, a-t-on coutume d'étaler une couche de pâte de coing sur des tranches de fromage. Dans ces mêmes pays, comme dans d'autres d'ailleurs, on ne trouve pas de boucherie chevaline : qui songerait à manger de la viande de cheval, ce compagnon quotidien du gaucho, le gardien des immenses troupeaux ? En Inde, c'est la vache qui est un animal sacré et les musulmans ne peuvent manger du porc, interdit par leur religion. Mais en Extrême-Orient, il arrive que l'on mange du chien.

un coing :
un fruit en forme de petite poire.

Peinture sur verre, Sénégal, XXᵉ siècle.

On pourrait multiplier les exemples et découvrir qu'on mange ailleurs cru ce que nous consommons cuit, ou bouilli ce que nous préférons rôti, etc. Certains des légumes dont nous faisons nos délices sont dédaignés sous d'autres cieux. À l'inverse, les Vietnamiens se régalent avec des algues et les Grecs avec des feuilles de vignes…

Ainsi, les habitudes, les besoins et les croyances jouent, à chaque fois, dans les façons de se nourrir des hommes, un rôle aussi important que les produits dont ils peuvent disposer.

faire ses délices de quelque chose :
....
aimer beaucoup quelque chose.

dédaigner :
....
ne pas aimer, rejeter.

Bruegel le Jeune (1564-1638), *Le Repas de noces.*

▼ Parmi tous les plats cités, quels sont ceux que tu connais ?
▼ Pourquoi y a-t-il tant de différences dans la façon de se nourrir ?
▼ Connais-tu encore d'autres plats venus d'ailleurs ?
▼ Qu'as-tu appris en lisant ce texte ?

Les premiers hommes

Vivre au temps jadis, « Encyclopédie de Benjamin », Gallimard.

À quoi ressemblent les hommes de la préhistoire ?

Ceux qui habitaient dans nos régions il y a cent mille ans se tenaient droits et nous ressemblaient beaucoup. Les archéologues ont retrouvé des ossements qui permettent de les étudier.

Ils savaient tailler les pierres en les frappant l'une contre l'autre et fabriquaient des outils efficaces : des haches que l'on nomme bifaces, puis des armes très fines faites avec des éclats de silex.

Ils ont confectionné des lances, des pointes de flèche, des racloirs pour nettoyer les peaux. Avec des éclats d'os ils ont inventé aussi l'aiguille pour coudre les vêtements de cuir ou de fourrure.

À cette époque, l'Europe était couverte de glaciers. Il faisait très froid. Les hommes s'habillaient chaudement en utilisant la peau des animaux tués à la chasse.

Ils ne sont pas sédentaires mais nomades, et se déplacent à la suite des troupeaux.

Ils mangent de la viande d'ours, de cerf, de mammouth… du poisson qu'ils pêchent au harpon, des fruits et des plantes sauvages qu'ils cueillent, des œufs dérobés dans les nids.

Sur les murs des grottes, ils peignent les animaux

un archéologue :
une personne qui étudie des constructions et des objets très anciens.

un biface :
un silex taillé sur les deux faces.

confectionner :
faire, fabriquer.

sédentaire :
qui habite toujours au même endroit.

nomade :
qui n'habite pas toujours au même endroit.

la fécondité :

*la possibilité
d'avoir des enfants.*

qu'ils vont chasser et modèlent des statues fémi-nines qui représentent la fécondité.

Le feu est l'une des premières découvertes des hommes : il leur permet de cuire les aliments, de s'éclairer, de se pro-téger des animaux.

À quoi ressemblent leurs refuges ?

Ils sont différents selon les régions et les climats. À l'abri d'une falaise, au bord d'un fleuve, les premiers hommes construisent des huttes avec des matériaux divers : os

La grotte de Lascaux II.

un pieu :

*un morceau de bois
pointu.*

de mammouths, pierres entassées, pieux recouverts de peaux de bêtes.

À l'intérieur, autour du foyer où brûle le feu, la vie s'organise.

▼ Est-ce que les hommes qui vivaient il y a cent mille ans nous ressemblaient ?
▼ Où habitaient-ils ?
▼ Comment s'habillaient-ils ? Que mangeaient-ils ?
▼ Quels étaient leurs outils ? À quoi servaient-ils ?
▼ Le feu est une découverte très importante. Pourquoi ?
▼ Comment a-t-on pu découvrir la vie des hommes préhistoriques?

La grotte de Lascaux II.

Comment communiquaient les hommes

Pierre Avérous, *Le Monde en marche Junior*, Nathan.

Voir ou entendre

un écueil :
un rocher qui dépasse de l'eau.

Pour communiquer de loin, on peut faire de grands gestes, ou allumer des feux comme les phares qui signalent l'entrée des ports et les écueils aux marins, la nuit. Les Indiens d'Amérique, eux, ont établi un code de signaux de fumée. Lorsqu'il n'est plus possible de se voir, les sons permettent alors de transmettre quelques informations. On raconte qu'en 52 avant Jésus-Christ, les Gaulois tuèrent des commerçants romains à Orléans : le soir même, les habitants de l'Auvergne connaissaient la nouvelle grâce à un code de cris, lancés de proche en proche ; en Afrique, le tam-tam annonce un décès, une fête, comme les cloches des églises, chez nous.

Le voyage des mots

Pour transporter un long message, rien cependant ne vaut les mots. Alors, on confie des lettres à des messagers, comme dans l'histoire du soldat de Marathon, ou à des pigeons voyageurs. Mais faire

le soldat de Marathon :

soldat grec qui courut 42 km 195 m pour annoncer une victoire.

Le télégraphe de Chappe, illustration tirée du *Petit Journal.*

instantanément :

*tout de suite,
immédiatement.*

voyager instantanément son message par-delà les montagnes et recevoir une réponse immédiate : voilà qui serait de la vraie communication à distance, de la télécommunication ! Ce vieux rêve fut réalisé en France, au cœur de la Révolution, par un certain citoyen Chappe ; Claude Chappe se propose en effet « d'écrire en l'air en y déployant des caractères très peu nombreux, [...] à grande distance ».

Après avoir abandonné un système sonore (il utilisait des casseroles !), il invente le télégraphe aérien. En 1791, Chappe et ses frères imaginent un « émetteur » constitué de bras de bois articulés, mus par une manivelle ; leur position forme des figures qui constituent un code, dont le décryptage n'est pas toujours facile !

mû :

*mis en mouvement,
actionné.*

le décryptage :

*la lecture,
la compréhension.*

▼ Repère toutes les façons différentes d'envoyer un message.
▼ Explique comment fonctionnait le télégraphe de Chappe.

Animaux
préhistoriques

Jeannie Henno, *Ma Première Encyclopédie*, Hemma.

Bien avant que la Terre soit peuplée d'êtres humains, d'étranges animaux y vivaient. Tous ont disparu il y a des millions d'années. Nous connaissons leur existence grâce à leurs fossiles.
La vie s'est tout d'abord manifestée dans la mer, il y a 3 000 millions d'années, sous forme de minuscules créatures gélatineuses.

des fossiles :
des restes d'animaux ou de plantes très anciens conservés dans des pierres.

gélatineux :
qui ressemble à de la gelée.

Un stégosaure, illustration allemande, début du XXᵉ siècle.

se hisser :
monter.

un amphibien :
un animal qui vit à la fois dans l'eau et sur la terre (comme la grenouille).

paisible :
calme, tranquille.

succéder :
venir après.

Les premiers poissons firent ensuite leur apparition. Poussés par la sécheresse, des poissons d'eau douce se hissèrent sur la terre ferme. Quelques-uns s'y adaptèrent et devinrent amphibiens. Certains de ceux-ci évoluèrent et donnèrent les premiers reptiles. Pendant des millions d'années, les reptiles dominèrent la Terre. Les dinosaures sont les mieux connus. Certains, comme le brachiosaure, étaient de paisibles herbivores. D'autres, comme le tyrannosaure, étaient de féroces carnivores. Pour se protéger de leurs ennemis, le tricératops, le stégosaure et l'ankylosaure avaient une carapace épaisse, des cornes et une queue épineuse. La disparition des dinosaures est-elle due à une modification du climat ? Nul ne le sait. Les mammifères qui leur succédèrent, plus petits mais au cerveau développé, s'adaptèrent plus rapidement au monde en évolution.

▼ Où la vie a-t-elle commencé ?
▼ Quand la vie a-t-elle commencé ?
▼ Dans quel ordre les animaux sont-ils apparus sur la Terre ?
▼ Pourquoi les dinosaures ont-ils disparu ?
▼ Les premiers hommes ont-ils rencontré tous ces animaux ? Explique ta réponse.

Un brontosaure, par Z. Burian, peintre tchèque du XXᵉ siècle.

Un tricératops, illustration allemande, début du XXᵉ siècle.

La vie quotidienne au Moyen Âge

Évelyne Brisou-Pellen, *Le Vrai Prince Thibault*, Rageot Éditeur.

Au Moyen Âge, peu d'enfants allaient à l'école, et surtout pas les filles...

Jusqu'à l'âge de 7 ans, les enfants restent auprès des femmes, et se mêlent aux activités de la vie quotidienne. Ils rendent de petits services, s'amusent avec leurs jouets de terre cuite ou de bois. À 7 ans, on considère qu'ils ont atteint l'âge de raison, et qu'ils sont capables de mener une vie d'adulte.

considérer :
penser, estimer.

Les enfants au travail

Dès 8 ans, les petits paysans participent aux travaux de la campagne. Ils gardent les oies du village, puis les cochons, plus difficiles et capricieux. À 11 ans, un berger est capable de soigner, tondre et protéger des loups le troupeau de moutons qu'on lui a confié. À 14 ans, on considère qu'il est totalement adulte.

À la ville, les enfants d'artisans et de commerçants quittent leur famille pour partir en apprentissage.

Quelques-uns apprennent à lire, soit chez le curé du village, soit dans les écoles où on leur enseigne aussi les prières en latin et le chant.

L'apprentissage des futurs chevaliers

Les garçons nobles quittent également leur famille très jeunes, en général vers 9 ou 10 ans, pour la cour d'un seigneur où ils feront leur apprentissage de chevalier. Là, ils commencent par se mêler aux serviteurs : ils partagent leurs travaux, portent le bois et l'eau, dorment par terre avec eux dans la grande salle commune. Servir à table est une tâche importante qui leur est réservée.

On leur apprend à jouer du luth ou de la vielle, à chanter. Avec le chapelain, ils découvrent le latin et les rudiments de la religion.

le luth et la vielle : *instruments de musique anciens.*

un chapelain : *un curé.*

des rudiments : *quelques connaissances.*

Histoire du Grand Alexandre, enluminure, XVᵉ siècle.

Mais les jeunes damoiseaux, comme on les appelle, doivent devenir des chevaliers habiles au combat, et une partie importante de leur vie est consacrée aux exercices de plein air.

De futurs guerriers

Ils affrontent à la course et à la lutte d'autres garçons, apprennent le maniement des armes et se préparent au tournoi en « courant la quintaine » (on fonce à cheval sur un mannequin pour le transpercer d'un coup de lance).

Ils apprennent aussi à polir un écu ou une épée, à enlever la rouille d'une cotte de mailles, à soigner les chevaux de promenade ou de combat.

Lorsqu'il est suffisamment expérimenté, le damoiseau prend le titre d'écuyer, et a le droit d'assister son seigneur au tournoi et à la guerre.

Vers l'âge de 20 ans, le jeune noble est adoubé chevalier au cours d'une cérémonie prestigieuse.

S'il est l'aîné, il peut alors retourner sur ses terres, et administrer son fief en se soumettant au pouvoir de son suzerain. La plupart des chevaliers restent au service des seigneurs qui les ont formés.

le maniement :
l'utilisation.

un tournoi :
un combat.

un écu :
un bouclier.

être adoubé
chevalier :
être fait chevalier.

un fief :
un domaine.

un suzerain :
un seigneur à qui on doit obéir.

▼ À quel âge les enfants deviennent-ils des « grands » ?
▼ Que font les enfants des paysans ?
Les enfants des commerçants et des artisans ? Les enfants des seigneurs ?
▼ Quelles différences remarques-tu entre cette époque et aujourd'hui ?

Très Riches Heures du duc de Berry (1413-1416), manuscrit enluminé ;
le mois de juillet : moissons.

Tons chauds

ou froids

Anthea Peppin et Helen Williams, *L'Art de voir*, Casterman.

Quelles couleurs vous viennent à l'esprit quand on vous parle de la nature ? Pensez-vous au vert des feuilles et de l'herbe, au brun de la terre et des branches ? Ou au bleu du ciel et de la mer, au jaune du soleil et du sable ? Cela dépend probablement de l'endroit où vous vivez.

Pouvez-vous dire d'où viennent les deux tableaux que vous voyez pages 137 et 139, et ce simplement d'après les couleurs utilisées ?

Des bleus et des verts froids

Pour peindre ce décor français, le peintre hollandais Vincent Van Gogh a choisi des bleus, des verts et des jaunes très pâles. Il ne faisait probablement pas très chaud cet été-là dans le nord de la France.

Van Gogh était **fasciné** par les couleurs qu'il voyait dans la nature. En reproduisant celles-ci par de gros coups de pinceau, courts et épais, il pensait pouvoir **capturer** l'ambiance dégagée par le paysage qu'il peignait.

On peut distinguer de nombreuses touches de cou-

fasciné :
très attiré, émerveillé.

capturer :
prendre, saisir.

leurs bleues et jaunes, appliquées sur la toile par des coups de pinceau tourbillonnants. Les tons froids rendent le ciel <u>statique</u>, comme s'il allait pleuvoir.

statique :
immobile.

Des tons chauds

La peinture page 139 vous donne-t-elle une impression différente ? Elle est l'œuvre de l'artiste indien Abul Hasan. Ici aussi, les couleurs choisies se marient <u>harmonieusement</u>. Mais Abul Hasan a préféré un vert doré et chaud au bleu-vert froid. Bien que tous les animaux soient en mouvement dans l'arbre, la douceur des tons rend la scène chaleureuse et paisible.

harmonieusement :
agréablement.

Vincent Van Gogh (1853-1890), *Vue de la butte Montmartre.*

Jouez avec les nuances

Essayez de faire un éventail de différentes nuances de vert, du plus chaud au plus froid. Dans un petit pot, mélangez du bleu et du jaune, pour obtenir du vert. Faites plusieurs gros traits verts au milieu d'une feuille de papier.

Versez ensuite la moitié de la couleur verte dans un autre pot et mélangez-la avec un peu de jaune. Avec la couleur que vous avez ainsi obtenue, faites un trait supplémentaire à gauche des lignes vertes. Ajoutez à présent un peu de bleu dans le premier pot. Dessinez un gros trait de cette couleur à droite des premières lignes vertes. Continuez de la même manière en ajoutant toujours un peu plus de bleu dans le pot bleu-vert et un peu plus de jaune dans l'autre pot. Chaque fois que vous obtenez une nouvelle nuance, faites un trait supplémentaire.

(On peut également utiliser du noir et du jaune pour obtenir du vert olive.)

▼ Quel tableau donne une impression de chaud ?
Quel tableau donne une impression de froid ? Pourquoi ?
▼ Donne la liste, selon toi, des couleurs « chaudes »
et la liste des couleurs « froides ».
▼ Comment rend-on un vert plus chaud ? Plus froid ?

Abul Hasan, *Écureuils dans un chêne*, 1647.

Les romans

Moumouna

Jean Debruynne. *Moumouna*, Bayard Éditions.

*L'histoire se passe en Afrique. Il n'a pas plu depuis longtemps
et le village n'a plus d'eau. Mais heureusement, Moumouna est
là. C'est une petite fille aveugle.*

Simone Ohl. illustration. vers 1925.

De gros tas de pierres,
voilà tout ce qui reste
de la rivière !
Moumouna marche
pieds nus sur les cailloux.
Elle marche toujours.
Elle avance encore.
On dirait
que Moumouna ne sent pas
le mal aux pieds.
Moumouna s'arrête
et elle se met à genoux.
Son visage est tout contre
les cailloux de la rivière.

Une fois encore
elle se penche,
elle écoute la respiration de la terre.
Et loin, là-bas, tout au fond,
elle entend l'eau qui court,
c'est comme une chanson d'oiseau.

Vite, vite, Moumouna creuse un trou,
elle enlève les cailloux
et elle les jette plus loin.
Mais c'est trop dur,
mais c'est trop long,
mais c'est trop difficile !

Alors Moumouna court au village.
Devant chaque case

une case :
une maison de village
en Afrique.

elle crie :
– L'eau ! l'eau !
Réveillez-vous !
Vite, vite,
l'eau va revenir !
Les dormeurs se réveillent.
Les hommes prennent les outils,
les femmes prennent les calebasses

une calebasse :
un gros fruit vidé
qui sert de récipient.

et tout le monde se met au travail.
On creuse, on creuse, on creuse encore
dans les cailloux de la rivière.

Et tout commence par un petit bruit
comme si l'eau avait le hoquet.
Et puis c'est un éclat de rire,
l'eau se met à courir
partout dans la rivière.
L'eau monte,
la rivière se gonfle.

Moumouna sent l'eau
qui monte le long de ses jambes.

C'est la fête !
Tout le village se roule dans l'eau
comme si c'était de l'herbe.
Tout le village chante
en battant des mains.

Peinture sur verre, Sénégal, XXᵉ siècle.

▼ Où se trouve Moumouna au début du texte ?
▼ Comment s'y prend-elle pour chercher l'eau ?
▼ Que fait-elle ensuite ?
▼ Les gens du village sont très contents d'avoir trouvé de l'eau. Pourquoi ?

Toufdepoil

Claude Gutman, *Toufdepoil*, Éditions Pocket.

Sébastien vit seul avec son père. Un jour, il reçoit un cadeau.

Pour mon anniversaire, Maman m'a écrit. En plus, elle me promettait une surprise. Elle ne pouvait pas me dire quoi : je verrais.

J'ai vu. C'est arrivé par colis que Papa est allé chercher dans une gare. Mais un colis vivant, plein de poils. Un petit chien qui s'est mis à japper. Un petit chien tout noir avec des poils si longs sur les yeux qu'on ne savait même pas s'il en avait.

Papa lui a donné de l'eau. Mais la touffe de poils aboyait toujours. Papa a dit :

– C'est pas un briard, c'est un braillard.

Ça m'a fait rire. Mais je voyais bien que Papa n'était pas content. Il appelait ça un « cadeau empoisonné ». J'ai bien regardé la touffe de poils mais je ne voyais pas où était le poison.

– Elle en a de bonnes, ta mère ! m'a dit Papa.

Et j'ai compris que le poison en question c'était Maman qui, à mille kilomètres de distance, empoisonnait Papa.

– Qu'est-ce que tu veux que je fasse d'un chien dans un appartement ? Qui va le garder pendant que je serai au boulot ?…

japper : pousser des petits cris, des petits aboiements.

un briard : une race de chien.

un braillard : quelqu'un qui parle fort, qui crie.

Plein de questions auxquelles Papa ne voulait surtout pas trouver de réponses.

– Je vais lui écrire ce que j'en pense, a dit Papa.

Moi aussi, j'allais le faire. Mais moi, ce que je vou-
lais dire, c'était un grand merci tout plein pour
cette touffe de poils que j'ai aussitôt appelée Toufdepoil.

Je l'ai serré dans mes bras. Papa pouvait me dire
ce qu'il voulait. Toufdepoil était à moi, pas à lui.
Maman l'avait écrit : « ça ne sera que pour toi. »

– Je te jure, Papa, que je m'en occuperai bien, que
tu n'auras rien à faire, que je le promènerai. Que je

Robert Doisneau, Cour carrée du Louvre, 1968.

ferai tout. Tu n'auras rien à lui reprocher.

J'ai regardé Papa si fort et si droit dans les yeux que l'hypnotisme a dû marcher et qu'il a dit : « On verra demain. »

Le soir même, j'ai mis la table sans qu'il ait eu à le demander et j'ai essuyé la toile cirée sans qu'il reste une seule miette de pain ni une seule tache de gras. Puis je me suis enfermé dans ma chambre avec Toufdepoil. J'ai pris mon stylo à plume que Papa venait de m'offrir et j'ai écrit une lettre de promesses.

Mon petit Papa chéri,

Je jure que je m'occuperai du chien, tout le temps. S'il est malade, s'il attrape la varicelle, c'est moi qui le soignerai. Tu n'auras même pas besoin d'aller chez le pharmacien. Mais de toute manière, je ferai tellement attention qu'il n'attrapera pas la varicelle. Alors comme ça, je peux le garder. Dis oui, Papa. Je t'en supplie.

J'ai glissé la lettre dans une enveloppe et j'ai attendu la nuit noire quand j'étais sûr que Papa dormait. Sur la pointe des pieds, j'ai posé ma lettre dans la cuisine, sur le gros bol où Papa boit vite son café avant de partir le matin. J'ai tellement attendu

Elliott Erwitt, 1968.

la réponse que j'ai passé toute la nuit à jouer avec Toufdepoil. Il n'en demandait pas tant. Il voulait dormir, en boule contre moi. Chaque fois que je le réveillais, il grognait puis se rendormait.

J'ai entendu la porte se fermer. Papa partait. Je me suis précipité dans la cuisine. Sur mon bol se trouvait ma lettre, dépliée. En bas, en rouge, Papa avait écrit :

C'est oui, gros idiot.

▼ Qui a offert le chien à Sébastien ? Pourquoi ?
▼ Que pense son père de ce cadeau ?
▼ Que veut dire l'expression « cadeau empoisonné » ?
▼ Que fait Sébastien pour que son père accepte de garder Toufdepoil ?

Des pas dans mon ciel bleu

Nadine Brun-Cosme, *Des pas dans mon ciel bleu*, Casterman.

Le petit garçon qui parle s'appelle Julien.

Ça a commencé un soir, à l'heure où mon père rentre du travail. À ce moment j'entends d'abord la porte qui s'ouvre, puis ses pas claquent sur le carrelage de l'entrée, s'adoucissent en glissant sur le plancher du salon, s'éteignent enfin en touchant le tapis au bas de l'escalier.

Tous les soirs, à cet instant précis, je prends mon élan, ouvre à toute volée la porte de ma chambre – la poignée creuse en frappant un trou dans le mur –, dévale les marches et me jette dans les bras de papa. Depuis des années, c'est notre jeu à nous, et qui fait sourire maman. Ce soir-là, j'ai entendu la porte s'ouvrir, les pas qui claquent puis les pas doux, puis les pas qui s'éteignent, j'ai envoyé la poignée faire son trou dans le mur, j'ai dévalé les marches… Au moment de m'élancer dans les bras de papa, je me suis trouvé nez à nez avec un parfait inconnu ! Sur le coup j'ai eu peur. Très vite maman est arrivée derrière en disant :

– Allez-y, allez-y ! Je vous présente Julien. Julien,

à toute volée :
brusquement.

dévaler :
descendre très vite.

Yves Klein (1928-1962), *Monochrome bleu*, papier monté sur bois.

laisse monter Monsieur !

D'abord, j'ai cru que j'avais mal entendu. Mais quand j'ai vu l'homme grimper vers moi avec un petit sourire gêné, puis me dépasser, et ma mère le suivre sans plus faire attention à moi, je me suis inquiété et j'ai suivi.

L'homme regardait tout : les placards de la salle de bains, la chambre de mes parents ; et puis il est arrivé à la porte de ma chambre. Quand ses chaussures se sont posées dans ma moquette toute douce où je n'ai pas le droit de marcher en chaussures, ma mère n'a rien dit. Il a avancé encore et deux traces brunes sont restées sur les poils. Il a fait jouer ma porte et il a dit :

– Ah ! Il y a un trou dans le mur.

Un trou ! Et alors ? Qu'est-ce que ça pouvait bien lui faire ? D'abord ce n'était pas un trou, c'était le trou du soir quand ma porte applaudit parce que je cours vers mon papa !

En ressortant il a regardé mon pantin, Toussi, puis il a retiré ses grosses chaussures de ma moquette et il est redescendu, maman sur les talons. Elle restait un peu en arrière, on aurait dit qu'elle passait un examen et qu'elle attendait qu'on lui donne une note.

Et puis l'homme a dit :

– Oui, c'est intéressant.

Maman a répondu :

– Et puis le centre-ville est tout près.

Et tout à coup elle a dit :

– Ah ! Chéri ! Tu es là ! Monsieur venait voir la maison.

Et j'ai compris que papa était là. Pour la première fois on avait loupé notre jeu de l'escalier ! Pour la première fois, je n'avais pas entendu les pas de papa. Il disait :

– Vous pouvez revenir quand vous le souhaitez !

Ils se sont dit au revoir et je me suis approché du

haut des marches en me disant que décidément, je rêvais. Dès que papa m'a vu il a tendu les bras. J'ai dévalé les marches et j'ai sauté dedans, mais ce n'était plus pareil. J'ai quand même laissé passer quelques secondes et puis j'ai sorti la tête de la manche de papa et j'ai posé la question qui me brûlait les lèvres :

– C'est qui ?

Papa et maman se sont regardés, gênés.

– C'est...

– C'est quelqu'un qui...

– ... qui a vu notre annonce dans le journal...

– Quelle annonce ?

Et soudain une idée lumineuse m'a traversé l'esprit :

– Il veut tourner un film ? Chez nous ?

Papa a soupiré si fort que ça m'a fait voler les cheveux du front.

– Pas tout à fait. Il nous a appelés si vite qu'on n'a pas eu le temps de t'en parler.

penaud :
gêné, embarrassé.

Disant cela, mon père a pris l'air tout penaud, le même qu'avait ma mère en suivant l'homme tout à l'heure.

Décidément, ils avaient l'air d'en avoir fait, des bêtises, aujourd'hui ! Je n'ai pas cédé. Quelqu'un qui foule ma moquette bleu azur avec ses grosses chaussures sans qu'on lui dise rien, c'est pas si facile à avaler !

fouler :
marcher sur, piétiner.

– Eh bien voilà... a commencé mon père.

Et il s'est arrêté.

– Nous avons décidé… a continué ma mère en regardant mon père, décidé… de partir ! a-t-elle enfin lâché.

Moi, j'ai lâché mon père et j'ai monté les marches en battant un record de vitesse. Je suis tombé sur mon lit comme une pierre et aucune larme n'est venue.

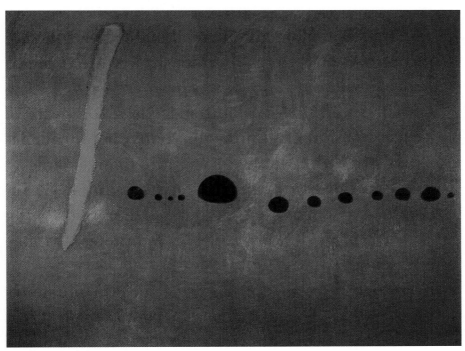

Joan Miró, *Bleu II*, 1961.

▼ Que se passe-t-il, d'habitude, quand le père de Julien rentre ?
▼ Que se passe-t-il ce soir-là ?
▼ Pourquoi Julien est-il en colère contre l'homme qui visite la maison ?
▼ Julien comprend-il tout de suite ce qui se passe ?
▼ Julien n'a pas envie de déménager. À ton avis, pourquoi ?
▼ Explique le titre du livre.

Les petites mains

Michel Piquemal, *Les Petites Mains*, Épigones.

Étienne Sinot est écrivain. Un jour, pour s'amuser, il pose sa main droite sur la vitre de sa photocopieuse et appuie sur le bouton. Et alors, surprise… Au lieu d'une photocopie, c'est une main qui apparaît. Affolé, il décide de recommencer, pour voir…

À la manière d'un automate, il marcha vers la photocopieuse, posa sa main droite sur le verre et pressa le déclencheur.

Un silence impressionnant succéda à son geste. Il resta près d'une minute sans pouvoir tourner les yeux… figé, incapable du moindre mouvement.

Soudain, un bruit étrange le fit sursauter. Ce fut comme une épine qui lui piqua le cœur. Sous l'effet de la surprise, il tourna vivement la tête… Le bac était vide !

Il respira un grand coup et se força à plusieurs reprises à inspirer et à expirer profondément. C'est alors qu'il comprit : quelqu'un jouait du piano dans sa propre maison !

Il se rua vers le salon, et vit une main faire des gammes maladroites sur les touches d'ivoire. D'un geste nerveux, il se passa les doigts dans les cheveux en murmurant : « Je deviens fou ! »

Comme prise en flagrant délit, la main referma vivement le piano, vola vers l'évier, ouvrit le robinet

un automate :
une machine de forme humaine.

un déclencheur :
un bouton de marche.

succéder à :
suivre, venir après.

pris en flagrant délit :
vu en train de faire quelque chose de mal.

d'eau chaude et se mit à rincer les nombreux verres qui encombraient l'évier.

Hébété, Étienne Sinot s'écroula dans un fauteuil. Avec un air presque indifférent, il assista au manège de la main qui, tour à tour, astiqua les sols, nettoya les vitres et prépara son lit.

hébété :
sans pouvoir réfléchir.

le manège de quelqu'un :
une façon bizarre d'agir.

Auguste Rodin (1840-1917), *La Main de Dieu.*

▼ Pourquoi Étienne Sinot fait-il une autre photocopie ?
▼ Est-ce qu'il est rassuré ? Explique ta réponse.
▼ Ce roman raconte une histoire *fantastique.*
Essaie d'expliquer ce mot.

Objectif Terre !

Robert Boudet, *Objectif Terre !*, Milan.

Klix est venu de la planète Brox pour observer la Terre et ses habitants. Il a rencontré Sylva, un homme qui vit dans la forêt. Klix a un décodeur qui lui permet de comprendre le langage des Terriens.

fureter :
regarder partout avec curiosité.

entamer :
commencer.

la perplexité :
le fait de ne pas savoir que penser.

Maintenant, le petit spationaute, après avoir fureté dans tous les coins, s'est assis à côté de Sylva et entame une conversation très appliquée.

– Elle est jolie ta maison. Est-ce que tous les Terriens vivent dans les forêts ?

– Non… Beaucoup habitent dans les villes.

– C'est quoi, une ville ?

– C'est une forêt de maisons…

Le front du petit spationaute se teinte de jaune, ce qui est la couleur de la perplexité chez les Broxiens. Puis il sort de sa combinaison un petit appareil à touches sur lequel il se met à pianoter.

– C'est quoi ? demande à son tour Sylva, intrigué.

– Un téléscripteur-intersidéral. Pour envoyer des messages à ma planète.

– Je connais, dit le forestier. On a à peu près la même chose chez nous.

– Ah ! fait Klix, un peu vexé.

Puis il se concentre sur son travail.

Le forestier l'observe en silence. Au bout d'un

Jean Tinguely, *L'Avant-garde*, 1988.

moment, il dit en se grattant la barbe :

– C'est bizarre quand même que tu sois aussi petit. Tu ressembles à un bébé !

– Tais-toi, Terrien plein de poils au menton, j'essaie de capter ma planète.

La voix de Klix, à travers le décodeur, est cassante comme du verre.

– Pourtant, insiste Sylva, les Martiens que j'ai vus dans les films étaient beaucoup plus impressionnants que toi. Des monstres velus, tentaculaires, gluants, voraces, cruels. Des pieuvres géantes, des insectes énormes, des robots indestructibles…

– Si tu ne te tais pas, menace Klix, je te pistolasérise !

Le forestier grommelle. Quel caractère !

grommeler :
parler en grognant.

▼ Qui est Klix ? Qui est Sylva ?
▼ À quoi ressemble Klix ? Pourquoi Sylva est-il étonné ?
▼ Fais la liste des appareils de Klix. À quoi servent-ils ?
▼ À quoi vois-tu qu'il s'agit d'un texte de science-fiction ?

Le journal
de Sarah Templeton

Leigh Sauerwein, *Le Journal de Sarah Templeton*, Gallimard.

En 1845, la famille de Sarah est en route vers la Californie, sur la côte Ouest des États-Unis. Comme tous ceux qu'on appelait les « pionniers », la petite fille voyage dans un chariot tiré par des bœufs.

30 juillet

Les bœufs commencent à maigrir car il n'y a pas d'herbe, seulement quelques buissons de sauge au goût amer. Le soir, il n'y a plus de rires ni de jeux. Tout le monde est trop épuisé. Aujourd'hui nous sommes tombés sur un précipice tellement raide que les hommes ont dû dételer les bêtes et les attacher avec des cordes pour les descendre. Maman a dû abandonner la commode et l'horloge qui lui venaient de grand-mère Alicia. Elles sont restées derrière nous, sur le sol rocheux. C'était un peu comme les arbres que nous avions laissés ; et on aurait dit deux amies qu'on abandonne. Maman a refusé de

Sur la piste de la grande caravane, affiche du film de John Sturges, 1965.

la sauge :
une plante avec laquelle on parfume des plats.

un précipice :
un trou très profond, une pente très raide.

regarder en arrière. Nous n'avons plus que notre grande poêle et le coffre à linge. Ainsi que les pauvres vêtements que nous portons.

25 août

un bison :
une espèce de bœuf sauvage au poil long.

Cela fait deux jours que nous n'avons pas bu d'eau. Pendant la marche, pour ne pas trop souffrir de la soif, tout le monde mâche de la viande de bison séchée par Jacob, à la mode indienne. Nous nous sommes arrêtés ce soir près d'une petite mare au goût salé et nous avons fait une soupe avec ce qui nous restait de haricots.

28 août

un mocassin :
une chaussure indienne.

Il a fallu tuer un bœuf pour avoir quelque chose à manger. Sa chair avait le goût amer des touffes de sauge. Avec la peau du bœuf abattu, Jacob Windstone a fabriqué des sortes de mocassins pour les bêtes qui restent en vie, car leurs sabots souffrent terriblement à cause de la piste rocheuse. Nous aussi, nous avons si mal que nous ne savons plus sur quel pied boiter.

▼ Sarah écrit son *journal*. Explique ce que cela veut dire.
▼ Les pionniers sont en train de traverser un désert.
Repère tous les mots qui le montrent.
▼ Que penses-tu de la vie de Sarah et de sa famille à ce moment-là ?
▼ À ton avis, pourquoi les pionniers partent-ils vers la Californie ?

Anna, Grandpa et la tempête

Carla Stevens, *Anna, Grandpa et la tempête*, Gallimard.

L'histoire se passe à New York au XIXe siècle. Anna et son grand-père ont pris le métro aérien pour se rendre à l'école. Le métro est bloqué par une tempête de neige.

Chacun se précipita vers la porte pour regarder dehors. La neige fouetta Anna en plein visage et le vent faillit lui couper le souffle. Le contrôleur referma rapidement la porte.

– Le vent est si violent qu'il va être difficile de faire monter une échelle jusqu'ici. Nous sommes au moins à dix mètres du sol.

Une échelle ! Dix mètres ! Anna en tremblait d'avance.

– Oh, Seigneur, aidez-moi ! Je ne pourrai jamais descendre cette échelle, dit Mme Sweeney en adressant un regard implorant à Grandpa.

– Mais si, voyons ! lui répondit-il sur un ton encourageant. C'est un coup à prendre, ça n'a rien de compliqué.

– Avec tout ce vent ? Pas question ! rétorqua Mme Sweeney.

– Ne vous inquiétez pas, madame Sweeney, vous ne

implorant :
suppliant.

risquez pas de vous envoler, allez ! dit Grandpa.
– Et moi ? Qu'est-ce que je vais devenir ? se lamenta Mme Polanski. J'ai le vertige…
C'est alors que la porte s'ouvrit, et un pompier apparut. Il brossa rapidement sa veste et prit la parole :

Le chemin de fer aérien dans la Troisième Avenue, à New York, 1874.

Les romans

– Nous allons vous faire descendre un par un. Par qui commence-t-on ?

Personne ne répondit.

– Anna, dit Grandpa, je sais que tu es une petite fille courageuse. Vas-y la première.

– J'ai peur de descendre l'échelle, Grandpa.

– Anna, tu me surprends. Tu te rappelles comment tu descendais du haut de la grange à foin, l'été dernier ? C'était facile, non ?

– Vas-y, Anna, je suis sûre que tu y arriveras, dit Mlle Cohen.

– Fais comme si nous étions encore en train de jouer à ton jeu, Anna, dit Mme Sweeney. Jacques a dit : « Descendez l'échelle ! »

– Vas-y, Anna, nous te regardons, reprit Mlle Cohen.

– N'aie pas peur, dit le pompier. Je serai juste en dessous de toi pour te protéger du vent. Tu ne peux pas tomber. Anna grelottait de peur. Elle ne voulait pas descendre la première, mais elle ne voulait pas non plus décevoir les autres.

surprendre :
étonner.

grelotter :
trembler.

Grandpa ouvrit la porte. Le contrôleur tendit la main et Anna posa un pied, puis l'autre, sur le premier barreau de l'échelle. Le vent furieux la tirait et la repoussait violemment. La neige glacée s'accrochait à ses vêtements et l'alourdissait.

Le pompier se tenait juste en dessous d'elle. Il l'entourait de ses grands bras et la maintenait fermement. Du pied gauche, Anna cherchait à tâtons le deuxième barreau.

Degré par degré, elle descendait prudemment l'échelle. Déjà trente barreaux… En verrait-elle un jour la fin ? Soudain, l'un de ses pieds s'enfonça dans la neige, le second aussi. Elle était arrivée ! La neige lui arrivait presque jusqu'à la taille. Elle n'en avait jamais vu autant.

– Va jusqu'à la voiture et ne t'éloigne pas avant que les autres soient là, dit le pompier.

Anna se fraya un chemin jusqu'à la voiture des pompiers. Les chevaux, fouettés par les bourrasques de neige, restaient immobiles, la tête basse. Anna se plaqua contre le véhicule. Le vent se mit à rugir de plus belle.

à tâtons :
sans rien voir, en tâtonnant.

se frayer un chemin :
passer difficilement.

une bourrasque :
un coup de vent violent.

▼ Pourquoi les voyageurs sont-ils en danger ?
▼ Que disent-ils ? Comment réagissent-ils ?
▼ Que penses-tu d'Anna ?

Au pays du Soleil-Levant

Yvon Mauffret, *Le Bonzaï et le séquoia*, Épigones.

Kenzo vit aux États-Unis. Son père est américain, sa mère japonaise. Un jour, il part vivre au Japon et fait la connaissance de son grand-père maternel.

Lorsqu'il m'a aperçu, grand-père Jamasaki m'a salué cérémonieusement, ainsi que maman. Il s'est incliné et a fait des gestes qui pour moi étaient incompréhensibles. Pourtant ses yeux pétillaient de bonheur, et j'ai tout de suite compris que nous allions bien nous entendre lui et moi.

Mon grand-père habitait une région qui s'appelle le Kinki, dans la grande île de Honshù. Plus tard, il m'a appris qu'ici était né le premier Empire, qu'on y fabriquait le meilleur thé et qu'on tissait les plus belles soieries. Pour l'instant nous avions du mal à nous comprendre, car je ne savais que quelques mots de japonais. Grand-père baragouinait une langue qu'il disait être de l'américain, mais j'avais du mal à le comprendre. Jamasaki était un vieux monsieur très savant, un ancien professeur, ou quelque chose comme ça ; il avait décidé de finir ses jours ici, dans le calme, afin que rien ne vienne troubler sa méditation.

cérémonieusement :
très poliment, très sérieusement.

une soierie :
un tissu de soie.

baragouiner :
parler difficilement.

la méditation :
la réflexion.

s'adapter :
s'habituer.

Californie :
région de la côte Ouest des États-Unis, au bord de l'océan Pacifique.

J'ai mis du temps à m'adapter à ma nouvelle existence. Il faut dire qu'ici tout était tellement différent de ce que j'avais connu jusqu'alors.

D'abord il y avait la maison.

En Californie, nous habitions un chalet forestier, rugueux, rustique et chaleureux.

Tout y était solide, les murs, les meubles. Tout était fait pour résister à la neige et aux tempêtes. Chez grand-père Jamasaki c'était le contraire ! La maison était légère, légère, avec de grands tapis sur le sol. Les cloisons se déplaçaient et il n'y avait presque pas de meubles. C'était lumineux, fragile et pendant longtemps j'y ai marché sur la pointe des pieds, en retenant mon souffle, de peur de la casser. Grand-père s'asseyait toujours à genoux sur les tapis, ignorant les chaises. Maman savait le faire, elle l'avait appris durant son enfance, mais moi j'avais des crampes au bout de cinq minutes et des millions de fourmis dans les jambes.

Et puis, quand on a l'habitude des fourchettes et des cuillères, ce n'est pas facile de manger avec des baguettes ! J'ai mis des semaines avant d'y parvenir.

▼ Cherche tout ce qui étonne Kenzo quand il arrive au Japon.
▼ À ton avis, est-ce que Kenzo va se plaire au Japon ? Explique ta réponse.
▼ Qu'as-tu appris sur le Japon en lisant ce texte ?

Felice Beato. *Deux hommes assis*. Japon, vers 1867-1868.

Le château hanté

Évelyne Reberg, *Le Château hanté*, Bayard Éditions.

La grand-mère de Charles aimerait emmener son petit-fils en vacances. Mais les maisons à louer sont chères !

Et puis un jour, elle brandit le journal et lut sur un ton de triomphe :

> *Offre exceptionnelle ! Château, 25 pièces,*
> *location gratuite et sans limite,*
> *calme complet.*
> *Attention ! Habitation légèrement hantée*
> *par ancien propriétaire, Auguste Terreur,*
> *poète étrangleur devenu fantôme à sa mort.*
> *Peureux et cardiaques s'abstenir.*
> *Château des Trois Pendues,*
> *Hameau des Cris Sauvages,*
> *11111 Sainte-Terreur-en-Plaine.*

cardiaque :
qui a le cœur fragile.

Mémé s'exclama :
— Vingt-cinq pièces ! Tu te rends compte ? Et c'est gratuit !
— Voyons, Mémé, bredouilla Charles. Tu… tu as bien lu ?
Mémé se mit à rire :
— Un fantôme ? Ce serait trop beau, n'est-ce pas, Charles ?

bredouiller :
parler difficilement.

Le jour suivant, tout fut réglé. Mémé courait partout, très affairée :

– Vite ! Ferme ton sac ! Moi, il ne faut pas que j'oublie mon maquillage, ni ma théière ! Il ne faut emporter que le strict nécessaire. Vite ! Vite ! Notre car part dans une heure.

Quelles vacances, mais quelles vacances se préparait Mémé ! À leur arrivée à Sainte-Terreur, Charles frissonna. Un silence de mort régnait dans le village. Les fenêtres des maisons à l'abandon faisaient de gros trous noirs.

affairé :
occupé.

le strict nécessaire :
juste ce qu'il faut.

William Turner, *Le Château Eltz vu du sud*, 1841-1842.

Mémé s'exclamait :

– Quel cadre ! Quel calme !

Le château se voyait de loin, perché sur la colline des Cris Sauvages.

En poussant la porte, Mémé se mit à tousser. Elle s'écria :

– Ça sent gentiment le moisi, n'est-ce pas ?

Elle alluma sa lampe de poche.

Quelle chance ! C'est meublé ! disait-elle en arpentant les immenses salles sombres où ses pas résonnaient.

Elle tomba en arrêt devant une pièce au plancher effondré.

– Là, je mettrai mon coin tricot et mon coin tisane. Le plafond s'écaille au-dessus, mais qu'importe ! Et toi, où t'installes-tu ?

– Je reste près de toi ! dit Charles en se serrant contre sa mémé.

Les premiers temps, rien de bizarre n'arriva vraiment. En faisant son ménage, Mémé Adèle soulevait des tempêtes de poussière et s'emmêlait dans les toiles d'araignée. Elle se sentait de plus en plus alerte.

– L'air de Sainte-Terreur me réussit. À toi aussi, Charles. Tes joues sont roses. Un vrai miracle.

Mais Charles était un peu troublé parce que, de temps en temps, il croyait entendre le parquet ou le lustre grincer.

Un soir, il lui sembla voir une soupière qui se promenait. Il se leva d'un bond et cria :

arpenter :
marcher de long en large.

alerte :
en forme.

– Arrière, espèce d'horreur sauvage !

La chose s'évanouit et Charles murmura en secouant Mémé :

– J'ai vu… j'ai entendu quelque chose…

– Sans doute une chauve-souris qui faisait frou-frou ! répondit Mémé en se rendormant.

Mais une nuit, brusquement, à minuit pile… le château des Trois Pendues fut secoué comme un panier à salade. Charles et Mémé se redressèrent en entendant l'énorme raffut qui ébranlait les murs. On aurait dit qu'un géant en sabots sautait sur la toiture.

– Ça, c'est du chahut de fantôme, j'en suis sûre ! cria Mémé.

– Ne bouge pas, supplia Charles.

Mais malgré ses supplications, la vieille dame chaussa ses pantoufles et monta dans la tour. D'un seul coup, tout fut calme.

Le pauvre Charles crut que sa mémé était morte. Pourtant elle réapparut, bien vivante.

– Ce n'était que des cloches, dit-elle. Trois simples cloches sur la tour. Le vent a dû les pousser !

– Bien sûr, dit Charles en se forçant à rire. Ce sont elles, les « Trois Pendues ».

Pourtant là-haut, dans la nuit, les cloches s'étaient remises à sonner une mélodie plaintive : « Do do do ré mi ré. »

s'évanouir :
disparaître.

le raffut :
le bruit, le tapage.

ébranler :
faire trembler.

une mélodie :
une musique.

– C'est drôle, on dirait qu'elles sonnent *Au clair de la lune*, murmura Mémé.

Charles fut un peu rassuré, mais le soir suivant, quel tapage, à nouveau ! Cette fois, des cris montaient de la cave. Des cris si étranges ! On aurait dit des rires de démons... ou des pleurs de bébés.

Mémé déclara avec assurance :

– Bon, je descends !

Quand elle réapparut, si petite dans la pièce immense, elle annonça :

– Ce n'étaient que des chats ! Toute une tripotée de chats qui se battaient sur un piano édenté ! Dormons maintenant !

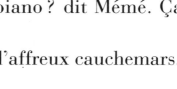

Mais quelques secondes plus tard, une petite voix désolée s'éleva de la cave et gémit : « Do do do ré mi ré. »

– *Au clair de la lune* ! Encore ! chuchota Charles.

– Les chats qui jouent du piano ? dit Mémé. Ça, oui, c'est un peu bizarre...

Et cette nuit-là, Charles fit d'affreux cauchemars.

de démons :
de diables.

une tripotée :
une grande quantité.

Gaston Chaissac, gouache, 1948.

▼ Repère tous les événements « bizarres » qui se produisent.
▼ Comment la grand-mère explique-t-elle tous ces événements ?
▼ Que penses-tu de la grand-mère de Charles ?
▼ Cette histoire te fait-elle peur ? Explique ta réponse.

On a piégé le mammouth

Jackie Niebisch. *On a piégé le mammouth*. Éditions Pocket.

Petit-Minus et ses amis sont partis à la chasse au mammouth. Ils ont tendu un piège : un trou recouvert de branches. Ils espèrent qu'un mammouth va tomber dedans.

Et soudain le mammouth surgit.

Il contempla avec méfiance l'obstacle qui barrait son chemin.

– Tiens ! Qu'est-ce qu'elle fait là, cette branche ? Et ce minuscule tas de terre, à côté ?

Il plissa le front sous son toupet de poils et se creusa la cervelle.

un toupet :
une touffe.

– Bizarre ! Bizarre ! conclut-il enfin.

Avant de continuer, il souleva la branche avec sa trompe.

– Ah ! Je m'en doutais !

– Un mammouth prévenu en vaut deux… marmonna-t-il. Quand on a vu un piège, on ne tombe pas dedans.

Il se dressa sur la pointe des pieds et entreprit d'enjamber le trou avec précaution. Une patte, deux pattes, trois pattes…

… et patatras !

Il s'était donné beaucoup de mal pour rien.

– Je me suis encore fait avoir, soupira-t-il, affalé par terre.

Petit-Minus et ses amis se précipitent et font voler leurs lances sur le pauvre mammouth.

Il se retourna vers eux, furieux.

– Vous ne vous sentez pas bien ? On ne chasse pas un paisible mammouth qui ne demande rien à personne !

– Nous avons faim ! répondirent en chœur les quatre petits chasseurs.

– Si vous avez faim, cueillez des noisettes ou ramassez des baies !

– Nous voulons manger de la viande, insista Petit-Minus.

Alors le mammouth entra dans une colère noire.

– Et si c'était moi qui vous mangeais, hein ?

– Ça ne risque pas, les mammouths sont végétariens ! Ils n'aiment que la mousse, les plantes vertes, les…

– Ah oui ? Eh bien moi, justement, j'ai toujours rêvé de croquer quelques petits chasseurs pour mon dessert.

– Ce n'est pas vrai. Tu ne pourrais même pas nous avaler.

Harpon du paléolithique supérieur, en bois de renne.

paisible :
calme, qui ne fait de mal à personne.

des baies :
des petits fruits à graines ou à pépins.

végétarien :
qui ne mange pas de viande.

– Taratata ! Je vous laisserai d'abord fondre sur ma langue, lentement, et après…

Alors les petits chasseurs furent pris de peur, une très grande peur.

– Ne fais pas ça ! supplièrent-ils. Regarde : nous sommes tout maigrichons. Et nous n'avons pas un goût extraordinaire.

– Il fallait y penser plus tôt. Quand on va à la chasse, on doit être prêt à en payer les conséquences !

une conséquence :
une suite, un résultat.

– Mais nous n'y sommes pour rien ! protesta Petit-Minus. Nous n'avons fait qu'obéir à nos parents !

– Parfaitement ! s'empressèrent de renchérir les autres. Ce sont eux qui nous ont envoyés à la chasse !

renchérir :
*en rajouter,
en dire plus.*

– Vraiment ? demanda le mammouth.

– Bien sûr ! Nous n'avons rien contre les mammouths, nous. Nous les trouvons même très mignons.

grommeler :
parler en grognant.

– Hum…, grommela le mammouth. Dans ce cas…

– Tu peux nous lâcher, maintenant ? Nous devons encore trouver quelque chose à manger.

▼ Qui sont Petit-Minus et ses amis ? À quelle époque vivent-ils ?
▼ Le mammouth veut empêcher les enfants de le tuer. Comment s'y prend-il ?
▼ Comment réagissent les enfants ?
▼ Est-ce qu'il s'agit d'un texte « sérieux » ? Explique ta réponse.

Paul Jamin (1853-1903), *Retour de la chasse.*

Qui a volé l'Angelico ?

Yvan Pommaux, *Qui a volé l'Angelico ?*, Bayard Éditions.

Un tableau très précieux a été volé dans un musée de Florence, en Italie. Jeannot découvre que ce tableau est chez son oncle Louis, qui revient justement d'Italie. Oncle Louis lui raconte comment des gens ont caché un paquet dans sa voiture, sans qu'il le sache.

– C'était le tableau de Fra Angelico !

– Tout juste ! Mes amis de la veille étaient des malfaiteurs qui voulaient se servir de moi pour passer un tableau volé en France. Ils m'avaient eu. Mais avec Louis Chabert, ils étaient mal tombés ! À Florence, je démarre, ils me suivent, je les sème. Je me dis : ils vont m'attendre à la frontière franco-italienne pour récupérer leur paquet. Alors, je fonce par l'Autriche et la Suisse… Et hop ! voilà le travail ! Tu as compris maintenant ?

– J'ai compris ! fait Jeannot, j'ai parfaitement compris. Mais dis-moi, Tonton : ça ne t'est pas venu à l'idée de prévenir la police ? Tu sais qu'il vaut sept millions de francs, ce tableau ?

L'oncle Louis tripote et retripote ses moustaches :

– Je sais, je sais, Jeannot : j'aurais dû prévenir la police. Mais tout d'abord, je l'avoue, j'ai eu un coup de colère. Je n'ai pensé qu'à fausser compagnie à

un malfaiteur :
un bandit, un voleur.

semer quelqu'un :
échapper à quelqu'un qui vous suit.

fausser compagnie à quelqu'un :
quitter brusquement quelqu'un sans prévenir.

ces voleurs qui m'avaient pris
pour un âne.

– Ça, c'est bien de toi !

– Et puis… j'ai de nouveau regardé
le tableau. Et plus je le regarde, plus j'ai envie de le
garder. J'aime sa couleur, sa douceur, sa lumière…

– Mais il ne t'appartient pas, Oncle Louis !

– …J'aime les plis des rideaux et surtout la porte
ouverte, l'ombre fraîche du couloir. Je suis sûr que
Fra Angelico s'est promené là souvent, tellement ce
lieu lui semble familier, tellement il a l'air de l'aimer. Et tu vois, je n'y connais rien
en peinture, mais j'ai l'impression
qu'il a mis tout son cœur à peindre
la pièce elle-même, ses murs et ses
objets, plutôt que les personnages… Je m'imagine que la
chambre est vide, que le peintre est
mon ami, et que je suis dans le
couloir, derrière le mur beige,
bavardant avec lui…

– Arrête, Tonton, dit Jeannot, tu
vas me faire pleurer !

– Tu peux te moquer, dit Louis,
mais tu verras : quand tu l'auras
bien regardé, toi aussi, tu ressenti-
ras la même chose que moi.

D'ailleurs, tout le monde devrait
pouvoir le regarder.

familier :
bien connu.

Fra Angelico (1387-1455). Couvent de Saint-Marc,
Florence. *Scène de la vie de Cosme et Damien.*

En redescendant à la cuisine, l'oncle Louis s'excite :

— Et justement, quand j'ai appris à la radio que ce Farina se l'était offert pour lui tout seul à grands coups de millions, ça m'a enlevé l'envie de le rendre, ce tableau !

— Et toi alors ? dit Jeannot en colère. Qu'est-ce que tu fais d'autre ? Toi aussi, tu le gardes pour toi tout seul !

Il enfourche sa bicyclette et démarre en criant :

— Si tu ne rends pas ce tableau, Tonton, je ne te parle plus !

Henri Cartier-Bresson, *Hyères*, 1932.

▼ Comment Oncle Louis a-t-il échappé aux malfaiteurs ?
▼ Pourquoi Oncle Louis a-t-il gardé le tableau ?
▼ Pourquoi Jeannot est-il en colère ?
▼ Essaie d'imaginer la suite de l'histoire.

La capture

Frédéric Niel, *Dans la jungle avec Thani*, Fleurus Presse.

L'histoire se passe au Laos, un pays d'Asie.

De ses grands yeux cerclés de noir, effrayé, le bébé singe me regarde.

Il est encore étourdi par sa chute.

– Il n'est pas blessé, me dit le chasseur qui traque pour moi les gibbons dans cette partie de la forêt du Laos.

Il remet une cartouche dans son fusil et ajoute en grimaçant :

– Mais la mère est morte en tombant !

Je ne réponds pas. Les gibbons vivent tout en haut des arbres. Difficile de capturer un jeune sans blesser au moins la mère. Tant pis ! Quand on est, comme moi, marchand d'animaux sauvages, il vaut mieux ne pas trop penser à la « casse ». Ce bébé gibbon a un beau pelage gris et semble en bonne santé. Je pourrai le vendre un bon prix.

– Très bien, Khamtao. Je pense que nous avons assez d'animaux. Nous rentrons demain matin.

C'est le soir et la lumière décline rapidement dans la forêt vierge. J'attache le gibbon au pare-chocs de la jeep et je remets du bois dans le feu. Le crépitement du bois et les flammes qui jaillissent déclenchent une nouvelle panique chez les animaux.

traquer :
poursuivre et attraper.

un gibbon :
un singe d'Asie.

la casse :
le mal que l'on peut faire, les dégâts.

décliner :
diminuer.

un macaque :
un singe d'Asie.

un calao :
un oiseau d'Asie.

asticoter :
taquiner pour énerver.

Gibbons, macaques, calaos, perroquets, même la panthère noire, s'y mettent.

Au lieu d'essayer de les calmer, Khamtao frappe les cages en bambou avec un bâton. Visiblement, ça l'amuse de les asticoter. Je m'apprête à lui dire d'arrêter quand il se fige de lui-même. Un terrible rugissement retentit, tout près. Un tigre ! Le vacarme dans les cages redouble et le bébé gibbon se cache sous la voiture.

Khamtao court vers la jeep et me crie :

Henri Rousseau, dit le Douanier Rousseau. *Forêt tropicale avec singes.* 1910.

– Patron, les fusils !

Mais un bruit de moteur nous rassure. C'est ma deuxième équipe qui ramène un tigre capturé la veille dans un autre coin de la forêt.

Khamtao repose son fusil et rit nerveusement en me regardant. Le bébé singe, lui, n'est toujours pas rassuré.

– Allez viens, on va faire un tour, lui dis-je en le détachant.

Nous nous éloignons du feu et du tigre, les deux choses que les singes craignent le plus au monde. Je m'assieds au pied d'un arbre et l'installe sur mon ventre en bougeant le moins possible. Ça ne vaut pas le ventre doux et velu de sa maman, mais c'est mieux que rien. Il commence à se calmer quand je lui offre une banane. Il en mange de petits morceaux tout en me jetant des coups d'œil méfiants. Finalement, repu et épuisé, il tombe de sommeil sur mon ventre.

Il fait nuit maintenant. Je distingue quelques étoiles à travers les branches. En sentant la chaleur de son petit corps contre le mien, je me demande, pour la première fois, de quel droit je lui ai volé sa maman, et demain, sa vie !

repu :
qui n'a plus faim.

▼ Quel métier fait celui qui raconte l'histoire ?
▼ Que pense-t-il des animaux au début ?
▼ Que pense-t-il à la fin ?
▼ Pourquoi a-t-il changé d'avis ?

L'exploit de Gara

Chantal Crétois, *L'Exploit de Gara*, Bayard Éditions.

Nous sommes au temps de la préhistoire. Gara a été chassé de sa tribu. Il vit seul dans une grotte.

Un jour, en revenant de la chasse, Gara vit une ombre s'agiter au fond de la caverne. Il comprit tout de suite : c'était un ours sortant de son long sommeil.

Le regard de la bête était fixé vers un recoin où était blotti, terrorisé, un jeune garçon… Ourec ! Ourec était désarmé, sa lance gisait aux pieds de l'animal !

Gara bondit à l'intérieur de la grotte en poussant un cri terrible pour détourner l'attention de l'ours. La bête se retourna aussitôt et s'avança vers Gara, la gueule largement ouverte. Gara cria à nouveau :

– Pars, Ourec ! Va-t'en !

Les yeux noirs de l'animal flamboyaient. Gara chercha à se protéger en bondissant derrière le feu. Ourec voulut le rejoindre. Gara hurla encore :

– Va-t'en ! Va-t'en !

L'ours marqua un temps d'arrêt, hésitant entre les deux garçons. Gara en profita pour tirer une bûche enflammée du foyer.

gisait :
était par terre.

flamboyer :
briller comme des flammes.

Sagaie du paléolithique supérieur, en bois de renne.

Il la brandit face à la bête qui rugit et tenta de donner un coup de patte dans le bras de l'enfant. Celui-ci lança alors la bûche de toutes ses forces. Une odeur âcre de poil brûlé emplit l'air. Et la surprise de l'ours permit à Gara de jeter un coup d'œil autour de lui. Il eut un soupir de soulagement : Ourec était parti. Il était maintenant hors de danger. Gara se retrouvait seul face à l'ours. Il brandit sa sagaie, prêt à un nouvel assaut.

Il était temps car son adversaire se ressaisissait. Mis en rage par la douleur, il se précipita, tentant de contourner le feu qui le séparait encore de Gara. Mais les lourdes pattes battirent l'air et l'animal tomba à terre, se débattant dans la souffrance : la sagaie du garçon l'avait atteint au ventre.

Gara voulut l'approcher mais, soudain, la gueule énorme se projeta vers lui, et elle le fit reculer d'un bond. L'enfant attrapa la lance d'Ourec puis il revint vers la bête. Et lorsqu'à nou-

brandir :
tendre en l'air.

âcre :
qui pique le nez et la gorge.

une sagaie :
une sorte de lance.

E. Ivanovsky,
illustration, 1925.

acéré :
pointu et coupant.

happer :
attraper rapidement.

ses jambes se
dérobèrent :
*elles se plièrent sans
qu'il le veuille.*

veau les mâchoires pleines de dents acérées s'écartèrent pour le happer, le garçon enfonça son arme dans la grande gorge rouge.

Un flot de sang jaillit, éclaboussant Gara qui se mit à crier de terreur. Il avait tué l'ours, mais tout tournait dans sa tête ! Ses yeux se fermèrent doucement, et ses jambes se dérobèrent sous lui.

Antoine-Louis Barye (1796-1875), *Étude d'un ours marchant.*

▼ Qui est Ourec ?
▼ Que se passe-t-il au début du texte ?
▼ Pourquoi Gara veut-il détourner l'attention de l'ours ? Comment fait-il ?
▼ Comment s'y prend-il pour tuer l'ours ?
▼ Relève quelques expressions qui font peur.

Dico Dingo

Pascal Garnier. *Dico Dingo*. Nathan.

Les parents du petit Robert ont invité des amis à dîner. Mais,
juste avant, Robert a fait tomber le dictionnaire de la famille,
et tous les mots se sont mélangés. Il se dépêche de les remettre à
leur place.

Sept heures trente, il a enfin terminé. Ouf ! il était
temps. Il vient à peine de glisser à la lettre « D » le
gros dictionnaire illustré sur l'étagère que, dans
l'entrée, la sonnette se met à tinter. Ce sont les
Azertyuiop qui viennent dîner.

On se serre la main, on s'embrasse, on essuie bien
ses pieds et on s'aventure sur le parquet ciré de la
salle à manger.

M. Azertyuiop est un collègue du père de Robert. Il
est très grand, très maigre, très noir, avec une petite
tête ronde juchée au-dessus de ses épaules comme
un point sur un « I ». C'est tout le contraire de sa
femme, aussi ronde qu'un « O » majuscule en
caractère gras.

Avec eux, pas un mot plus haut que l'autre, il faut
parler tout bas, comme à l'église.

À présent, tout le monde est installé autour de la
table, assis du bout des fesses sur des chaises aussi
maigres que de vieilles chèvres. Comme toujours
dans ces cas-là, on ne sait pas par où commencer,

azertyuiop :
lettres de la
première ligne
du clavier sur une
machine à écrire
ou un ordinateur.

juché :
posé.

on pianote du bout des doigts, un peu gêné.

C'est M. Robert qui se jette à l'eau.

— Chérie, si tu servais l'alpaga à nos invités avec quelques ampoules farcies et des tranches de mobylette ?

Mme Robert écarquille les yeux.

— Pardon ?

— Je te demande si tu veux nous servir l'alpaga avec des ampoules farcies et des tranches de mobylette, qu'y a-t-il d'étonnant à ça ?

— Tu peux répéter ?

M. Robert commence à devenir tout rouge.

— Mais enfin, Arlette, sers-nous l'alpaga, des ampoules et de la mobylette !

— Et pourquoi pas du cerf-volant avec une bonne couche de serpentin ?

— Parce que ça me fait mal au foie, tu le sais très bien.

Le petit Robert regarde ses parents tour à tour : « Aïe, aïe, aïe ! Je n'ai sans doute pas remis tous les mots au bon endroit ! » Mais il est trop tard. Entre son père et sa mère, le ton monte.

— Mal au foie, toi !... Tu es capable d'avaler un paillasson entier arrosé de quatre ou cinq lessives !

— Mais qui te parle de paillasson ? Sers-nous donc l'alpaga au lieu de badigeonner n'importe quoi ! Il y a de quoi devenir corne de brume !

— Corne de brume toi-même ! Espèce de... de...

Mme Robert cherche le mot mais celui-ci a dû res-

un alpaga :
un animal proche du lama.

badigeonner :
recouvrir d'une couche de peinture, par exemple.

ter coincé entre les lames du parquet de la chambre de Robert.

– De… de napperon ! C'est ça, tu n'es qu'un napperon !

Le petit Robert se fait encore plus petit, pas plus gros qu'une punaise enfoncée sur son siège.

Sonia Delaunay, *A. B. C. D. E*, 1971.

▼ Pourquoi le petit Robert est-il très gêné ?
▼ Quels mots devrait-il y avoir à la place de *alpaga*, *ampoules farcies* et *tranches de mobylette* ?
▼ Est-ce que ce texte te fait rire ? Explique ta réponse.

Crédits photographiques

Crédits textes

Achevé d'imprimer en Italie par Bona
Dépôt légal: 06/2010 - Collection n° 32 - Édition 13
11/6008/4